사회복지를 전공하면 갈 수 있는

사회복지사의 일자리

사회복지사의 일자리

발행 2018년 02월 09일
저자 윤재호
펴낸이 한건희
펴낸곳 주식회사 부크크
출판사등록 2014. 07. 15(제2014-16호)
주소 경기도 부천시 춘의동 202 춘의테크노파크2차 202동 1306호
전화 1670-8316
E-mail info@bookk.co.kr
ISBN 979-11-272-3302-0

www.bookk.co.kr

사회복지를 전공하면 갈 수 있는

사회복지사의 일자리

윤재호 지음

BOOKK

차례

머리말

사회복지와 관련한 일을 계속 해 왔다.

고등학교 시절 막연하게나마 착한 일을 하면서 살아가고 싶다는 생각으로 시작된 고민이 대학교를 사회복지학과로 결정 할 수 있도록 이끌었다.

사회복지학과에 입학하고 1년간 주로 들었던 말들은 '착하게 살자'였다. 착하게 살아야만 하는 직업이 바로 '사회복지사'라고 생각 하게 되었다.

대학교 학부 생활을 1년 보내고 다음해 1월에 바로 군대에 들어갔다. 당시는 2년 2개월이었던 복무를 마치고 휴학기간 없이 3월에 복학했다.

군 생활을 하면서는 주로 앞으로의 삶에 대해서 고민하였다. 워킹홀리데이에 관한 책을 읽으며 복학한 뒤의 대학생활에 대해 그려보기도 하였다. 인생을 어떻게 살아가야 할 것인가에 대한 고민과 많은 경험을 쌓고 싶다는 생각을 했다.

당시 사회복지공무원이나 여러 일들이 있었지만, 그것이 무엇이든 살고 있는 지역에서 사회복지사로 살아가는 것이 좋겠다는 생각을 했었다.

사회복지를 전공하며 세부적으로 결정하는 전공에 대해서 1~2학년 때는 청소년 복지에 대해 관심을 갖고 관련 자격증도 취득하는 공부를 했었다. 이후 3~4학년에는 노인장기요양에 대해 관심을 갖고 공부하였다. 지금은 조금 다른 일을 하고 있지만 그 일에 대한 큰 흐름은 다르지 않다.

어떤 일을 하는 것이 좋을까? 그리고 그 일이 나와 나의 가족들과 살아가는데 조화로운 일일까? 그 고민은 계속되어왔고 지금도 계속되어지고 있다. 아마 죽을 때 까지 계속 될 고민이라고 생각한다.

이런 고민을 하며 일하는 중 우연한 기회에 모 대학의 진로탐색 강의에 초대받아 2시간 특강을 하게 되었다. 사회복지학과 대학생들에게 진로를 찾기 위한 한 학기동안 수업 중 현장의 실무자들에게 듣는 수업이었다.

이 시간이 나에겐 아주 특별했다.

잠시 잊고 있었던 학부생 시절의 나의 고민들이 생각났었다. 그래서 생각했다. 나의 경험을 조금이라도 나누고 그것을 통해 조금이라도 의미를 찾는 사람이 늘어날 수 있다면 좋지 않을까?

그런 일을 하기위해 이 책을 쓰게 되었다.

사회복지와 일자리를 생각해 볼 수 있는 글을 나누길 바라면서 책을 준비하였다. 아무쪼록 사회복지를 공부하는 분들에게 도움이 될 수 있기를 바란다.

윤재호

제1장 사회복지와 사회복지사 자격증

1. 사회복지사는 어떤 일을 할까?

미래직업으로서 사회복지사는 항상 언론에 회자되는 유망직종이었다. 내가 사회복지학과를 들어간 1998년에도 그랬고, 최근 자료를 봐도 유망직종에는 항상 이름을 올리고 있다. 4차 산업혁명이 일어나서 AI가 많은 사람들의 일자리를 없앤다고 해도, 사회복지 관련한 일자리는 줄어들지 않을 것으로 생각한다.

사회복지사는 사회적으로 어려움이 있는 사람들에게 문제해결을 통해 보통의 삶을 찾을 수 있도록 돕는 일을 한다. 이를 위해 필요한 학문을 배우는 것이 사회복지학이며, 심리적, 경제적, 사회적 문제 등 다양한 어려움을 해결될 수 있도록 직간접적으로 지원하는 역할을 한다.

구체적으로는 심리지원, 생활지원, 행정 및 법률지원 등의 지원하여 대상자의 사회성 강화를 위해 직업재활이나 자활 등의 사업도 개발하여 운영하기도 한다. 아울러 지역의 복지자원을 연계하여 숨어있는 지역의 자원을 발굴하여 연계하는 역할을 하고 있다.

현장의 업무는 주로 사회에서 발생하고 있는 청소년, 노인, 여성, 가족, 장애인 등 다양한 사회적, 개인적 문제를 겪는 사람들에게 사회복지학 및 사회과학의 전문지식을 이용하여 문제를 진단·평가함으로써 문제해결을 돕고 지원하는 업무하게 된다.

이를 위해 자원봉사자를 모집, 교육하는 등 사회복지프로그램의 기획, 실행, 평가를 통해 재정적, 법률적인 지원을 하는 일을 하고 있으며, 그 대상자들에게 보통의 삶을 보낼 수 있도록 생활 및 직업훈련도 지원하고 이를 위한 복지정책을 분석하여 현장으로부터의 대안을 제시하는 일등을 한다.

사회의 경제적 수준을 평가할 때 1인당 GDP수준을 지표로 삼아 평가하곤 한다. 현재 한국의 1인당 GDP는 전 세계 29위의 29,730달러이다.

어느 정도 경제적인 수준이 높아지면 사회복지서비스 등에 관심을 갖는 등 '삶의 질(Quality of Life)'을 개선하기 위한 소비가 늘어가게 된다. 따라서 사회복지와 관련한 일자리는 대부분 향후 늘어날 수 있을 것으로 본다.

수요(need)와 요구(want)가 많아지게 되면 서비스는 다양화 할 것이며, 그에 따르는 일자리의 세분화도 자연스럽게 이뤄 질 것으로 생각한다.

여기에 인구구조의 변화에 따라, 1인 가구, 독거노인 증가, 맞벌이 가족 증가로 노인이 노인을 돌봐야 하는 노노(老老)케어나 보건, 의료, 복지서비스의 연계 등이 활발히 이뤄져 사회복지와 관련한 전문가, 즉 사회복지사의 전문성이 더욱 세분화 되어 다양하게 발전 할 것으로 예상된다.

2. 사회복지 관련 일자리는 유망한 일자리인가?

결론은 지금도 유망한 일자리로 보인다.

고용 및 진로직업 관련 정보의 수집•분석•제공 및 고용정보시스템을 운영하는 등의 업무를 하는 고용노동부 산하 한국고용정보원이 있다. 2년마다 연구되어 발표되는 「한국직업전망[1]」을 보면 증가하는 일자리 13개 중 '사회복지사', '상담전문가 및 청소년지도사', '직업상담사 및 취업알선원'으로 사회복지 관련 일자리가 3개가 있다.
위 전망에 따른 사회복지관련 일자리는 사회복지사, 상담전문가 및 청소년지도사, 직업상담사 및 취업알선원, 시민단체활동가, 보육교사로 나뉘어져 있다.

이는 사회복지관련 자격증은 내가 사회복지학과에 입학한 1998년에도 그랬고, 지금도 앞으로도 유망한 직업으로 분류되고 있으며 그 전문성에 따라 일자리가 더욱 세분화 된다는 의미이다.

사회복지학에 대한 학문적 기본 바탕을 갖고 공부를 한다는 것은 새로운 일자리에 대한 대응에 조금 더 민첩하게 대응 할 수 있다는 의미로 볼 수 있으며, 이러한 변화는 인구와 경제수준의 변화에 따라 자연스럽게 나타나는 요구와 필요에 따라 그 시점과 분야가 나뉠 수 있을 것으로 생각 해 볼 수 있다.

---

1) 출처: 한국고용정보원(2015), 「한국직업전망」

전망	직업명			
증가 (13)	간병인	간호사	물리, 작업치료사	법률사무원
	직업상담사	산업안전, 위험관리원	상담전문가, 청소년지도사	임상심리사
	환경공학기술자			
다소 증가 (83)	간호조무사	감독, 연출자	결혼상담원, 웨딩플래너	경영 및 진단전문가
	경영지원사무원	경찰관	경호원	공예원
	관세사	관제사	광고 및 홍보전문가	교도관
	기계공학기술자	네트워크시스템개발자	노무사	대중가수, 성악가
	만화가, 애니메이터	메이크업아티스트, 분장사	무역사무원	무용가, 안무가
	미용사	방사선사	방송 및 통신장비설치수리원	배우, 모델
	번역가	법무사	변리사	변호사
	보육교사	보험 및 금융상품개발자	비파괴검사원	사서, 기록물관리사
	사회과학연구원	상품기획전문가(MD)	생명과학연구원	세무사
	소방관	손해사정사	수의사	스포츠, 레크레이션강사
	시민단체활동가	시스템소프트웨어개발자	아나운서, 리포터	안경사
	안내및접수사무원	애완동물미용사	약사, 한약사	여행서비스관련종사자
	연예인, 스포츠매니저	영양사	영업원	웹, 멀티미디어기획자
	웹, 멀티미디어디자이너	유치원교수	음악가	응급구조사
	응용소프트웨어개발자	의무기록사	의사	인문과학연구원
	임상병리사	장례지도사	재활용처리, 소각로조작원	전기, 전자설비조작원
	전자공학기술자	전통건물건축원	청소원, 가사도우미	청원경찰
	치과기공사	치위생사	치과의사	컴퓨터보안전문가
	통역사	특수학교교사	판사, 검사	피부미용사, 체형관리사
	학원강사, 학습지교사	한의사	항공기객실승무원	항공기조종사
	화물자동차운전원	회계 및 경리사무원	회계사	
유지 (66)	간판제작, 설치원	감정평가전문가	건설기계운전원	건축가, 건축공학기술자
	경기감독, 코치	경비원	계산원, 매표원	공업배관공
	교통설계전문가	국악, 전통예능인	금융, 보험관련사무원	금형, 공작기계조작원
	기계장비설치, 정비원	기업고위임원	기자	단순노무종사자
	단열공	데이터베이스설계구축, 관리기술자	물품이동장비조작원	미술가
	바텐더	버스운전원	보험관련영업원	부동산중계인
	비서	상하수도처리장치조작원	생산관련사무원	섬유공학기술자
	세탁원, 다림질원	시각디자이너	식품가공관련기능종사자	식품공학기술자, 연구원
	악기제조원, 조율사	영화연극 방송제작장비기사	운동선수	운송사무원
	운송장비정비원	인테리어디자이너	임업관련종사자	자동차, 자동차부품조립원
	자동차정비원	자산운용가	작가	재료공학기술자
	전기공학기술자	전기, 전자기기설치수리원	정보시스템운영자	제과제빵사
	제조공정부품조립원	제품디자이너	조경기술자	조사전문가
	주방장, 조리사	지적, 측량기술자	철도, 전동차기관사	출판물전문가
	케드원	컴퓨터시스템설계, 분석가	컴퓨터하드웨어기술자	큐레이터, 문화재보존원
	텔레마케터	토목공학기술자	통신공학기술자	통신장비 방송송출장비기사
	투자, 신용분석가	패션디자이너	항해사	화학공학기술자
다소 감소 (32)	건설배관공	건축목공	귀금속, 보석세공원	금속가공장치조작원
	낙농, 사육관련종사자	냉난방관련설비조작원	단조원	대학교수
	도배공	도시계획전문가	도장원, 도금원	미장공, 방수공
	비금속광물가공장치조작원	사진가	상품중개인, 경매사	상품판매원
	식품제조기계조작원	어업관련종사자	용접원	이용사
	인쇄, 사진현상관련조작원	직물재배종사자	전공	조적공, 석공
	주조원	중등학교교사	증권, 외환딜러	철골공
	철근공, 콘크리트공	초등학교교사	택시운전원	판금원, 제관원

< 직종별 향후 일자리(직업) 전망[2] >

향후 10년에 대한 전망에서 유망한 직업은 보건, 의료, 복지 분야로 예상되며, AI의 역할이 더욱 활발해 지는 4차 산업혁명 시대에는 인간을 대상으로 인간이 제공하는 이 분야가 늘어날 것이라는 예상을 할 수 있다.

정부는 항상 국민들의 일자리에 관심이 높다. 국민의 일자리는 정부의 세수, 국민의 복지, 국가의 경쟁력을 키우기 때문이다.

2013년, 2014년, 2016년 각각 고용노동부와 관계부처 합동으로 「신 직업발굴 육성•추진현황 및 향후계획」을 발표하고 있다. 2014년에 발표한 자료를 보면, 공공서비스를 통한 직업적 기반구축에 임신출산육아전문가나 중장기 검토과제에 디지털장의사 등의 사회복지에 기반을 둔 일자리 등이 빠져있지 않다.

구분		신직업
정부 육성·지원 신직업	① 법·제도적 인프라 구축	민가조사원, 전직지원전문가, 산림치유지도사
	②기존 직업의 세분화 및 전문화	연구기획평가사, 연구장비전문가, 연구실안전전문가 온실가스고나리컨설턴트, 화학물안전관리사, 협동조합코디네이터, 소셜미디어전문가, 지속가능경영전문가, 녹색건축전문가, 주거복지사, 문화여가사
	③ R&D 투자 및 전문인력 육성	인공지능전문가, 감성인식기술전문가, 정밀농업기술자, 도시재생전문가, 빅데이터전문가, 홀로그램전문가, BIM디자이너
	④공공서비스를 통한 직업적 기반 구축	임신출산육아전문가, 정신건강상담전문가(자살예방전문요원, 약물중동예방전문요원, 행위중동예방요원), 과학커뮤니케이터
민간의 자생적 신직업 창출 지원		기업컨시어지, 노년플래너, 사이버평판관리자, 가정에코컨설턴트, 병원아동생활전문가, 기업프로파일러, 영유아안전장치설치원, 매매주택연출가, 이혼플레너, 주변환경정리전문가, 애완동물행동상담원, 신사업아이디어컨설턴트, 그린장례지도사, 생활코치, 정신대화사
중장기 검토과제		동물간호사, 분쟁조정사, 디지털장의사

〈 이랑(2015)「미래를 함께할 새로운 직업」고용이슈(2015년 5월호) 〉

2) 출처: 한국고용정보원(2015),「한국직업전망」

3. 사회복지사 자격증은 무엇일까?

노인인구가 늘어나면서 관련한 정책도 늘어나게 된다. 이에 따르는 제공시설(노인요양원 및 요양병원 등)이 늘어나게 되었다.

여기에 정부는 사회복지분야의 일자리 창출과 서비스의 증진을 위해 사회복지영역을 민간에 많이 개방했고, 자격증 부분도 많이 배출 될 수 있도록 조치하고 있다. 현재는 합계 93만 명의 사회복지사 자격증이 발급 중에 있으며, 이 중 1급자격증 소지자만 13만 명에 이른다.

구분		1급	2급	3급	소계
~2004	년 합계	5,044	13,722	430	19,196
	누계	50,878	43,579	10,188	104,645
2005	년 합계	4,421	20,348	585	25,354
	누계	55,299	63,927	10,773	129,999
2006	년 합계	5,055	27,871	389	33,315
	누계	60,354	91,798	11,162	163,314
2007	년 합계	4,445	40,823	284	45,552
	누계	64,799	132,621	11,446	208,866
2008	년 합계	9,170	50,693	344	60,207
	누계	73,969	183,314	11,790	269,073
2009	년 합계	7,286	61,069	223	68,578
	누계	81,255	244,383	12,013	337,651
2010	년 합계	9,733	65,229	202	75,164
	누계	90,988	309,612	12,215	412,815
2011	년 합계	3,635	66,164	193	69,992
	누계	94,623	375,776	12,408	482,807
2012	년 합계	9,834	67,722	167	77,723
	누계	104,457	443,498	12,575	560,530
2013	년 합계	6,060	70,847	180	77,087
	누계	110,517	514,345	12,755	637,617
2014	년 합계	6,377	69,058	171	75,606
	누계	116,894	583,403	12,926	713,223
2015	년 합계	6,783	68,871	194	75,848
	누계	123,677	652,274	13,120	789,071
2016	년 합계	9,528	65,508	162	75,198
	누계	133,205	717,782	13,282	864,269
2017	년 합계	5,435	62,621	116	68,172
	누계	138,640	780,403	13,398	932,441

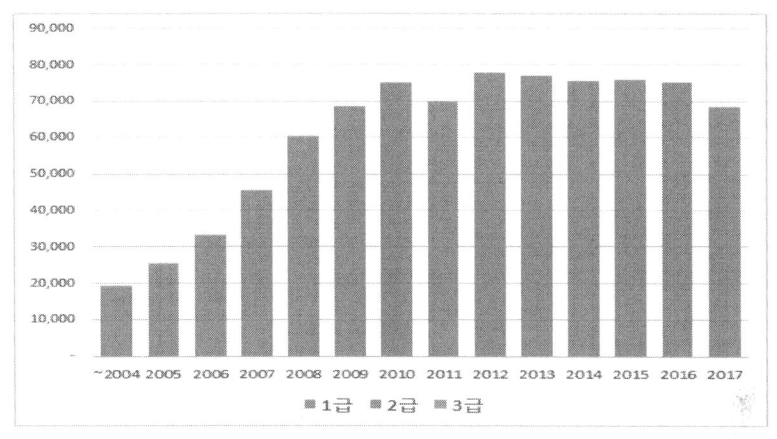

< 연도별 사회복지사 자격증 발급 현황
출처: 한국사회복지사협회, '2017년 사회복지사 자격증 발급현황', 2017. 10. 31. 기준 >

사회복지사 자격증은 '사회복지사업법시행규칙 부칙 제1조(제73호, 2008. 11. 5.)'에 따라 정해진 교과목, 사회과학영역의 다양한 분야와 각 대상자별 실천기술 등에 대한 학습을 하고, 정해진 학과에서 정해진 교과목을 이수했을 때 2급 자격증 부여와 1급 자격증을 취득할 수 있는 국가시험의 기회가 주어진다.

구분	교과목	이수과목(학점)	
		대학원	대학·전문대학
필수과목	사회복지개론, 인간행동과 사회환경, 사회복지정책론, 사회복지법제, 사회복지실천론, 사회복지실천기술론, 사회복지조사론, 사회복지행정론, 지역사회복지론, 사회복지현장실습	6과목 18학점 (과목당 3학점) 이상	10과목 30학점 (과목당 3학점) 이상
선택과목	아동복지론, 청소년복지론, 노인복지론, 장애인복지론, 여성복지론, 가족복지론, 산업복지론, 의료사회사업론, 학교사회사업론, 정신건강론, 교정복지론, 사회보장론, 사회문제론, 자원봉사론, 정신보건사회복지론, 사회복지지도감독론, 사회복지자료분석론, 프로그램 개발과 평가, 사회복지발달사, 사회복지윤리와 철학	2과목 6학점 (과목당 3학점) 이상	4과목 12학점 (과목당 3학점) 이상

※ 비고: 교과목의 명칭이 동일하지 아니하더라도 교과의 내용이 동일하다고 보건복지부장관이 인정하는 경우에는 동일 교과목으로 본다.

필수교과목 중 사회복지현장실습에 관한 기준
가. 실습기관: 법 제2조제1조에 따른 사회복지사업과 관련한 법인·시설, 기관 및 단체로 한다.
나. 실습지도자 : 사회복지사 1급 자격증을 소지한 자로서 3년 이상 또는 사회복지사 2급 자격증을 소지한 자로서 5년 이상 사회복지사업의 실무경험이 있는 자가 실습을 지도하여야 한다.
다. 실습시간: 현장실습시간은 120시간 이상으로 한다.

〈 출처: 한국사회복지사협회 자격관리센터 홈페이지(http://lic.welfare.net) 〉

사회복지사 자격을 취득하기 위해서는, 사회복지학과에 들어가서 학위과정을 하거나 관련 과목들을 이수할 수 있는 프로그램(평생교육)등을 통과해야 한다.

여기서는 일반적으로 취득하는 사회복지학과에 진학하여 취득하는 것을 설명해본다.

사회복지학과에 들어가면 일반적으로 대상자의 이해를 위해 다양한 자원봉사활동과 대상자를 이해하기 위한 활동들을 많이 하게 되며, 사업의 기획, 운영, 평가 등을 위한 문서작성과 통계프로그램등의 활용기술이 필요로 되고 있다.
여기에 대상자의 삶을 이해하고 보통의 삶을 영위할 수 있도록 돕기 위해서는 대상자를 이해하는 마음가짐과 사회복지사로서의 사명감과 그 문제의 해결을 위한 능력들이 필요로 되고 있다.

지금까지도 그래왔고 앞으로도 그렇지만 점차 삶의 질이 향상되고 선진국으로 진입할수록 복지의 중요성은 커지며, 저출산, 고령화로 복지욕구가 증가되고 있다. 이에 따라 기초노령연금, 노인장기요양보험제도 등의 노인복지분야에서 사회복지수요가 증가 될 것으로 예상되고 있으며 요양병원 등 의료와 복지가 복합화 되어 이루어지는 서비스가 늘어 날 것이다.

사회복지사들의 단체인 한국사회복지사협에서는 다음과 같이 사회복지사를 안내하고 있다.

사회복지사란 1970년대 사회복지사업종사자로 시작하여 1983년 사회복지사업법이 개정되면서 사회사업가 또는 사회사업종사자의 명칭이 '사회복지사'로 규정되어 사회복지사 자격증이 발급되기 시작하였다.
이후 사회사업은 사회사업학의 학문적 체계에서 사용되어지고, 사회복지사의 영문표기는 'Social Worker'로 사용하고 있다.
우리나라는 사회복지사업법 제11조제1항의 규정에 의하여 '사회복지에 관한 전문지식과 기술을 가진 자'를 사회복지사로 규정하고 있다[3].

아울러 사회복지사협회에서는 사회복지사의 업무 영역을 크게 세 가지로 나눈다.
첫째, 공적사회복지영역이다. 사회복지사업법제14조에 따라 사회복지사업에 관한 업무를 담당하기 위하여 시도, 시군구 및 읍면동 또는 복지사무전담기구에 사회복지사 자격증을 가진 사회복지전담공무원을 두도록 규정하고 있다.
둘째, 사회복지기관 및 시설 영역이다. 지역복지사업, 아동복지, 노인복지, 장애인복지, 모자복지 등의 민간 사회복지관 영역을 담당한다.
셋째, 보건의료영역(의료법, 정신보건법에서 규정)이다. 의료사회복지사(MSW, Medical Social Worker)는 병원이나 진료소에서 임상치료팀의 일원으로 질병의 직・간접적인 원인이 되고 치료에 장애가 되는 환자의 심리・사회적인 문제를 해결하도록 도와주며, 환자가 퇴원한 후에도 정상적인 사회기능을 발휘할 수 있도록 환자와 그의

3) 출처: 한국사회복지사협회 홈페이지(www.welfare.net)

한 후에도 정상적인 사회기능을 발휘할 수 있도록 환자와 그의 가족에게 전문적인 사회복지서비스를 제공하는 사회복지사를 말한다.

정신보건사회복지사(MHSW, Mental Health Social Worker)는 사회복지사 1급 자격증 소지자 중에서 정신보건분야의 전문적인 지식과 기술을 가지고 정신질환자의 개인력 및 사회조사, 정신질환자에 대한 사회사업지도 및 방문지도, 사회복귀 촉진을 위한 생활훈련 및 직업훈련, 정신질환자와 그 가족에 대한 교육·지도 및 상담업무, 정신질환 예방활동 및 정신보건에 관한 조사연구를 하는 사회복지사를 말한다.

위와 같이 사회복지사협회에서 정의하는 사회복지사는 그 정의(定義)의 바탕은 관련한 법(法)이다.

사회복지사는 법적인 근거를 통해 정의된다. 결국 위와 같은 일을 하기 위해서는 국회나 정부에서 만든 법에 따라서 정해지게 된다. 기본적으로 사회문제를 해결하기 위해 만들어진 법에 그 자격에 대한 기준이 담기기 마련인데, 사회복지사의 경우는 「사회복지사업법」에서 그 자격과 업무범위(혹은 근거)를 정의하게 된다.

법이 만들어지면 자세한 기준은 시행령과 시행규칙에 담게 된다. 이렇게 법적으로 정의되게 되면 법적인 자격이 인정되는 것으로 법에 따르는 일을 해야 한다.

법적으로 만들어진 자격이고, 법으로 정한 사업을 하는 것이기 때문에 법에서 일컫는 '사회문제'를 해결하기 위해 법의 취지를 잘 이해해야 한다.

이러한 법이 만들어지는 과정과 자격증에 대해 노인장기요양을 예를 들어 설명하면 다음과 같다.

① 노인인구가 늘어나며 치매환자가 늘어난다. 가족 중 치매환자가 있으면 관련시설에 들어가게 되거나 가족에서 누군가가 돌보게 된다. 그 돌보는 사람이 경제활동은 치매환자 돌봄으로 갈음되게 된다. 일자리를 잃게 되는 것으로 경제활동인구에서 빠지게 되고, 이로 인한 개인적인 사회적인 손해(세금)가 오게 된다.

② 이런 가정이 많아졌다. 예전엔 소수의 일이었는데, 이젠 많은 사람들이 느껴질 정도로 주변에서 쉽게 볼 수 있게 된다. 그리고 그로인한 심각한 문제들(학대 및 자살 등)이 많이 일어나게 된다.

③ 이런 문제들이 사회에서 일반화가 되면, 사회문제가 되고 많은 사람들이 문제를 함께 해결해야 한다는 것을 생각하게 된다.

④ 이 문제를 해결하기 위한 아젠다가 형성된 것으로, 국회, 시민단체, 언론, 정부, 학계에서 각자 혹은 공동의 고민해결 방법을 논의하게 된다. 수많은 토론과 공청회를 거치며 법안이 만들어지게 되는데, 법안에는 다음이 주요하게 정해지게 된다.

- 예산은 얼마나 하고, 어떤 구조로 할 것인가?
- 이를 위한 전달체계는 어떻게 할 것인가?
- 언제부터 할 것인가?

⑤ 법안이 만들어지면 이를 실행하는 체계(전달체계)가 구축되게 된다. 노인장기요양의 경우는 예산은 사회보험으로 했고, 국민건강보험공단에서 재원을 관리하고, 지방자치단체와 건보공단에서 시설을 관리하며, 인력은 사회복지사업법에 따른 자격이나 다른 전문자격기준에 따라 제공되게 된다.

⑥ 이 때 '사회복지사, 요양보호사'의 역할이 정해지게 된다.

법과 제도가 늘어나게 되면 자연스럽게 사회복지사의 일자리도 늘어나게 된다.

노인인구가 늘어나고, 이에 대응하는 정책들이 늘어나게 되면 결국 사회복지사의 일자리도 늘어나게 될 것으로 본다.
사회복지사로 일자리를 마련하고자 한다면, 모든 직일을 선택할 때는 이 일이 내가 즐겁게 할 수 있는 일인지와 나의 삶과 균형을 맞출 수 있는 일인지를 많이 고민해야 한다고 생각한다.
아울러 사회복지사로 일하지 않더라도, 그 자격을 갖고 있는 사람이라면 자격우대가 있을 수 있고, 꼭 그게 아니더라도 사회와 인간의 관계에 대한 일을 하는 전문가로서 배우는 사회복지학 자체의 학문적 지식은 관련한 일을 하는데 도움이 될 것으로 생각한다.

사회복지사 자격을 갖고 어떤 일자리를 얻을 것인가?

이러한 고민은 각자의 몫이고 지금도 나는 그 고만을 계속하고 있다. 아마 대부분이 그렇다고 생각한다.

4. 사회문제와 사회복지사의 일자리 생산구조

사회복지를 공부하면 어떤 영역에서 업무를 할 수 있는 것일까? 자격증을 갖고 있으면 어떤 일자리를 얻게 될까?

사회복지를 전공하고 자격증을 취득하면 갈 수 있는 일자리의 구조에 대해 조금 더 설명해 보고자 한다.

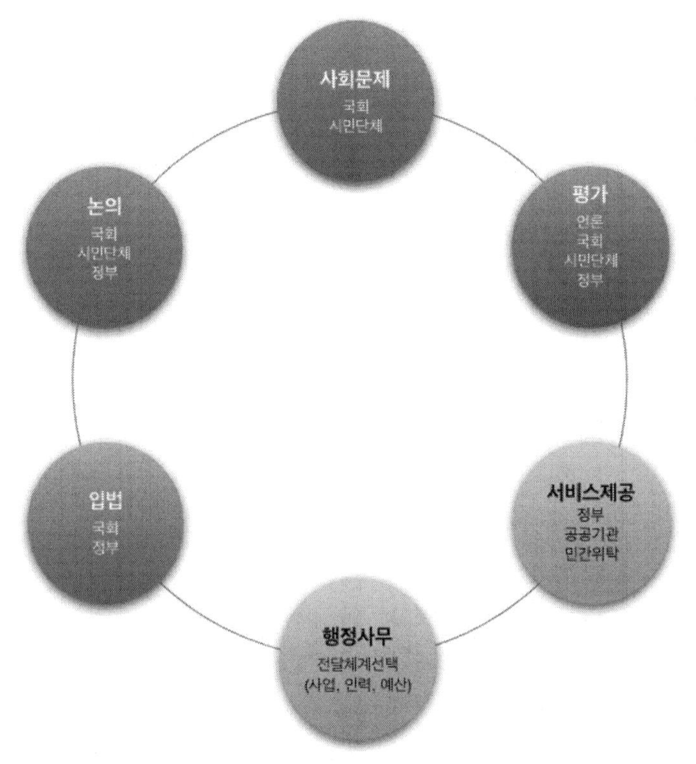

〈 사회문제의 해결 순서, PDCA[4]관점과 비슷한 구조를 갖고 있다 〉

4) PDCA(plan-do-check-act)는 사업 활동에서 생산 및 품질 등을 관리하는 방법이다. Plan(계획)-Do(실행)-Check(평가)-Act(개선)의 4단계를 반복하여 업무를 지속적으로 개선한다. 월터 슈하트(Walter A. Shewhart), 에드워즈 데밍(W. Edwards Deming) 등에 의해 유명해졌다.(출처: 위키백과)

앞서 장기요양 문제를 예를 들어 사회문제의 해결구조를 설명했었는데, 이 부분을 조금 더 보완하여 사회문제를 해결하는 구조에서 사회복지사의 역할에 대해 설명하고자 한다.

이 그림은 사회문제의 해결 순서를 정리해 놓은 사이클이다. 언론은 모든 영역에서 연결자 역할을 하며, 서로 간의 의견이 충분히 검토될 수 있도록 '사실과 가치판단'을 갖고 상호 간을 연결한다.

사회문제(문제의 인식)

사회문제가 발생하면 시민단체와 국회를 중심으로 그 문제를 해결하기 위한 방법에 대해 이야기를 나누게 된다. 사회복지문제와 관련한 것이라면 문제를 개선하고, 사회문제로 이끌어 내기 위한 다양한 활동들이 이뤄지게 된다. 주로 시민단체에서 문제제기를 하는 경우가 많고, 언론 기자의 취재 혹은 국회의 민원수렴 등을 통해서 만들어지게 된다.

이 과정에서 어떤 일자리가 만들어 질까?

우선 언론에 사회복지 전문기자가 있을 수 있다. 언론사별로 특성에 따라 사회복지전문분야를 두어 기자를 배치하는 경우가 있다. 이때 사회복지를 공부한 경우 전문가로서 인정받으며 업무를 수행할 수 있다. 언론인이면서 사회복지사이기도 한 것으로, 다음이나 네이버 등의 포털에 '사회복지전문기자'를 검색해보면 장애인복지를 중심으로 몇몇 전문기자들의 이름을 찾을 수 있다.

마찬가지로 시민단체의 경우도 사회복지를 전공하면 유리한 일자리이다. 주로 시민단체는 사회적 약자를 위해 일하는 곳이 많다. 이익단체 혹은 이익집단의 경우에도 사회문제화를 위해 노력하고 있으며 협회 등의 운영을 통해 일자리가 나오기는 하지만 시민단체보다는 사회복지 전공자의 수요가 높지 않은 편이다.

논의(Agenda의 형성)

일정한 수의 문제가 제기되면 국회와 정부를 중심으로 문제 해결을 위한 논의가 본격적으로 이뤄지게 된다.

이때 국회는 공청회를 열어 문제점을 정확히 파악하기 위해 다양한 분야의 전문가들의 의견을 수렴하게 된다. 국회는 각 상임위원회별로 활동을 통해 의견을 모으고 해결방법을 찾는 것이 일반적인데, 사회복지분야의 경우 '국회보건복지위원회(http://health.na.go.kr)에는 '청원'란을 두어 의견을 청취하는 한편 처리현황을 공유하기도 한다[5].

사회복지를 공부하고 국회의원이 되는 경우도 있고 국회의원의 보좌진으로 활동하는 경우도 있다. 특히 보건복지위원회 소속의 국회의원을 보좌하는 경우라면 사회복지를 공부하고 경쟁력을 가질 수 있는 일자리에 해당한다.

입법(법률의 제정)

법이 만들어지는 과정은 국회의원이 직접 발의하여 진행하는 국회 입법과 정부에서 발의해서 진행하는 정부입법으로 크게 나눈

5) 보건복지위원회의 경우 정원수는 총 22명이고 일반적으로 의원 1명당 보좌관 2명, 비서관 2명, 비서 3명이 있으며 인턴이 경우에 따라 배치되기도 한다.

다. 이 과정에서 국회의원으로서 입법 활동을 위해 필요한 전문가들이 필요하게 되는데, 위에 논의에서 설명한 국회에서의 일자리가 해당된다.

행정사무(공무원)

최근 10년간 공무원 증원의 높은 비율을 갖게 된 사회복지직 공무원이다.

주로 지방자지단체에서 공고 후 선발하게 된다. 필수 3과목(국어, 영어, 한국사)과 선택 2과목(사회복지학개론, 행정법총론, 사회, 과학, 수학, 행정학개론)을 보게 된다. 일반적으로 9급으로 시작하게 되며, 중앙정부의 경우에는 7급에서 시작하는 경우도 있다. 최근에는 민간경력자 채용이 활성화되고 있어 민간경력자 채용으로 5급과 7급이 선발되기도 한다. 아울러 임기제공무원을 선발하는 경우에도 사회복지를 전공한 인력을 뽑기도 한다.

행정사무 영역에서는 중앙부처와 지방자치단체 간에 행정사무를 나누는 일을 한다.

입법과정에서 정해진 사업, 예산, 인력에 대한 세부 조정을 통해, 문제 해결을 위한 자원의 배분과 집행절차를 정하는 과정을 거치게 된다.

서비스 제공(가장 많은 일자리, 가장 자유로운 일자리)

사회문제 해결을 위해 크게 두 가지, 현물 혹은 현금으로 해결방법이 정해지게 된다.

현금의 경우는 대부분 공무원들이 처리하지만(일부는 사회보험을 통해), 현물의 경우는 위탁하여 운영하게 된다. 예를 들어 치매 문제 해결을 위해서는 시군구 소속의 보건소와 치매센터를 두어 해결하고자 하는데, 이 경우 보건소와 치매센터에 사회복지분야의 일자리가 만들어지게 된다.

보건소의 직원으로 뽑는 경우는 적지만 치매센터의 경우 중앙정부와 지방자치단체 간의 예산 분담으로 운영되며, 지방자치단체의 결정에 따라 위탁하거나 직접 조직을 만들어서 운영하게 된다. 이때 사회복지를 전공자를 위한 일자리가 만들어지게 된다.

공공기관인 이런 기관에서의 일자리가 사회복지를 공부하면 유리한 일자리 중에 하나이다.

아울러, 기존의 사회복지관은 사회복지사들이 가장 많이 일하고 가장 자유롭게 일할 수 있는 공간이다. 나 역시 2004년 12월부터 2007년 1월까지 약 2년 2개월 동안 서울의 모 구에 있는 노인종합복지관에서 사회복지사로 일한 적이 있다. 지금 생각해보면 가장 대상자들과 가까이하며, 지역을 중심으로 많은 사업을 할 수 있는 곳이었다고 생각한다.

당시에도 보수 수준이 높은 편은 아니었지만, 그렇다고 매우 궁핍하게 살게 되는 보수 수준은 아니었다고 생각한다. 물론 다른 산업분야와는 다르고 복지관의 경우 사회복지 종사자 중 비교적 안정적인 일자리(위탁받는 사회복지법인의 규모에 따라 다르지만)라고 평가받기도 한다.

사회복지현장의 일자리는 매우 힘들기도 하지만, 매우 보람 있는 곳으로 지역사회와 역동적으로 움직일 수 있는 사업이 많기 때문에 사회복지를 전공한 사람이라면 꼭 한 번은 일 해보면 좋은 곳이라고 생각한다.

평가(환류를 위한 평가)

최초에 해결을 위해 논의하였던 곳을 중심으로 평가를 한다. 이 과정 역시 일자리가 만들어지는 구조는 앞선 설명과 유사하다. 평가는 계속 이뤄진다. 평가를 통해 정책은 보완되고, 부분적으로 해결된 사회문제를 보완하여 해결한다.

일자리는 끝이 없다.

위에서 언급한 일자리가 전부가 아니다.
구체적인 구인방법과 준비방법에 대해서는 다음에 추가적으로 설명예정이다.

그래도 다시 강조하지만 사회복지를 전공하면 갈 수 있는 일자리는 사회문제를 해결하며 겪게 되는 모든 과정에서 만들어진다.

따라서 위에서 언급한 일자리만이 아니라, 그것으로부터 파생되어 만들어지는 일자리는 수도 없이 많다. 그래서 덧붙이자면 사회복지학을 전공하는 경우에는 사회에 대한 이해를 위해 사회학을 공부하는 것을 추천한다.
아울러 역사를 공부하기를 추천한다. 역사에 대해 매우 명쾌한 해석을 해 준 유명한 학자가 한 말을 인용한다.

< 에드워드 핼릿 카
(Edward Hallett Carr, CBE, 1892년 6월 28일 ~ 1982년 11월 3일) >

그는 영국의 정치학자·역사가이다.

"역사란 역사가와 사실 사이의 부단한 상호작용의 과정이며, 현재와 과거 사이의 끊임없는 대화이다"
(History is a continuous process of interaction between the historian and facts, an unending dialogue between the present and the past.)

사회문제는 역사 안에서 되풀이되고 있다. 인구의 변화, 전쟁, 국가 정책의 변화 등으로 인해 사회복지분야의 발달이 다르게 나타나기는 하지만, 우리의 역사와 다른 나라의 역사를 비교해 보다 보면 비슷한 사회문제가 만들어지는 공통점을 찾게 된다.

이런 문제를 슬기롭게 해석하고 대응하게 된다면, 새롭게 만들어지는 일자리에 보다 유연해질 수 있지 않을까?

역사를 알고 현재를 이해해야 미래가 보인다는 것을 너무 멀리 생각하지 말고, 나로부터 시작한다고 생각해 본다면 조금 더 많은 방법으로 일자리에 대해 고민 해 볼 수 있을 것으로 생각한다.

5. 사회복지의 근간이 되는 법률

사회복지학은 포괄하는 범위가 넓다.

그 정의에 대해 많은 논의가 있지만, 가장 정제되고 일반화할 수 있는 정의는 법상 나와 있는 정의이다.

사회복지 관련한 여러 법이 있지만, 그중 「사회복지사업법」과 「사회보장기본법」은 꼭 한 번은 읽고 그 의미를 생각해 보는 것이 중요하다고 생각한다.

「사회복지사업법」의 정의는 다음과 같다.

「사회복지사업법」

제2조(정의) 이 법에서 사용하는 용어의 뜻은 다음과 같다.
1. "사회복지사업"이란 다음 각 목의 법률에 따른 보호 · 선도(善導) 또는 복지에 관한 사업과 사회복지상담, 직업지원, 무료 숙박, 지역사회복지, 의료복지, 재가복지(在家福祉), 사회복지관 운영, 정신질환자 및 한센병력자의 사회복귀에 관한 사업 등 **각종 복지사업과 이와 관련된 자원봉사활동 및 복지시설의 운영 또는 지원을 목적으로 하는 사업**을 말한다.
가. 「국민기초생활 보장법」
나. 「아동복지법」
다. 「노인복지법」
라. 「장애인복지법」
마. 「한부모가족지원법」
바. 「영유아보육법」
사. 「성매매방지 및 피해자보호 등에 관한 법률」
아. 「정신건강증진 및 정신질환자 복지서비스 지원에 관한 법률」
자. 「성폭력방지 및 피해자보호 등에 관한 법률」
차. 「입양특례법」
카. 「일제하 일본군위안부 피해자에 대한 생활안정지원 및 기념사업 등에 관한 법률」

타. 「사회복지공동모금회법」
파. 「장애인 · 노인 · 임산부 등의 편의증진 보장에 관한 법률」
하. 「가정폭력방지 및 피해자보호 등에 관한 법률」
거. 「농어촌주민의 보건복지증진을 위한 특별법」
너. 「식품등 기부 활성화에 관한 법률」
더. 「의료급여법」
러. 「기초연금법」
머. 「긴급복지지원법」
버. 「다문화가족지원법」
서. 「장애인연금법」
어. 「장애인활동 지원에 관한 법률」
저. 「노숙인 등의 복지 및 자립지원에 관한 법률」
처. 「보호관찰 등에 관한 법률」
커. 「장애아동 복지지원법」
터. 「발달장애인 권리보장 및 지원에 관한 법률」
퍼. 「청소년복지 지원법」
허. 그 밖에 대통령령으로 정하는 법률
2. "지역사회복지"란 주민의 복지증진과 삶의 질 향상을 위하여 지역사회 차원에서 전개하는 사회복지를 말한다.
3. "사회복지법인"이란 사회복지사업을 할 목적으로 설립된 법인을 말한다.
4. "사회복지시설"이란 사회복지사업을 할 목적으로 설치된 시설을 말한다.
5. "사회복지관" 이란 지역사회를 기반으로 일정한 시설과 전문 인력을 갖추고 지역주민의 참여와 협력을 통하여 지역사회의 복지문제를 예방하고 해결하기 위하여 종합적인 복지서비스를 제공하는 시설을 말한다.
6. "사회복지서비스"란 국가 · 지방자치단체 및 민간부문의 도움을 필요로 하는 모든 국민에게 「사회보장기본법」 제3조제4호에 따른 사회서비스 중 사회복지사업을 통한 서비스를 제공하여 삶의 질이 향상되도록 제도적으로 지원하는 것을 말한다.
7. "보건의료서비스"란 국민의 건강을 보호 · 증진하기 위하여 보건의료인이 하는 모든 활동을 말한다.

「사회복지사업법」은 사회복지를 제공하기 위한 실천기술과 방법 등에 대한 기준을 주로 담고 있다. 사회복지를 제공하는 시설과 사람 등에 대한 설명이 들어있으며, 구체적인 사회복지의 실천

방법을 정하여 있다.

이 법에 따라서 사회복지의 실천 영역이 정의될 수 있다. 이 법에서 정의한 세분화된 역할들은 곧 사회복지서비스 전달을 위한 필요성을 정의하는 것이다. 정의되는 모든 곳에는 세부기준에 따라 서비스제공방법이 정해지고, 그것은 사회복지법인이나 지방자치단체 등을 통해 사회복지시설과 사회복지관으로 전달되게 된다.

전달되는 모든 부분, 그것을 '사회복지전달체계'의 가장 접점에 있는 것으로 볼 수 있으며, 그 접점에는 사회복지사가 역할을 하게 되는 경우가 많다. 바로 사회복지사 자격을 갖은 이들이 갈 수 있는 일자리로 해석해 볼 수 있다.

다음으로 「사회보장기본법」에 대해 설명하고자 한다.

「사회보장기본법」

제3조(정의) 이 법에서 사용하는 용어의 뜻은 다음과 같다.

1. "**사회보장**"이란 출산, 양육, 실업, 노령, 장애, 질병, 빈곤 및 사망 등의 사회적 위험으로부터 모든 국민을 보호하고 국민 삶의 질을 향상시키는 데 필요한 소득·서비스를 보장하는 사회보험, 공공부조, 사회서비스를 말한다.
2. "**사회보험**"이란 국민에게 발생하는 사회적 위험을 보험의 방식으로 대처함으로써 국민의 건강과 소득을 보장하는 제도를 말한다.
3. "**공공부조**"**(公共扶助)**란 국가와 지방자치단체의 책임 하에 생활 유지 능력이 없거나 생활이 어려운 국민의 최저생활을 보장하고 자립을 지원하는 제도를 말한다.
4. "**사회서비스**"란 국가·지방자치단체 및 민간부문의 도움이 필요한 모든 국민에게 복지, 보건의료, 교육, 고용, 주거, 문화, 환경 등의 분야에서 인간다운 생활을 보장하고 상담, 재활, 돌봄, 정보의 제공, 관련 시설의 이용, 역량 개발, 사회참여 지원 등을 통하여 국민의 삶의 질이 향상되도록 지원하는 제도를 말한다.
5. "평생사회안전망"이란 생애주기에 걸쳐 보편적으로 충족되어야 하는 기본욕구와 특정한 사회위험에 의하여 발생하는 특수욕구를 동시에 고려하여 소득·서비스를 보장하는 맞춤형 사회보장제도를 말한다.

「사회보장기본법」은 국가와 지방지치단체의 역할에 대해 설명되어 있고, 국민의 기본권으로서 사회보장에 대해 설명되어 있다.
특히 「사회보장기본법」에서 논하는 서비스의 범위에 대해 생각해 볼 필요가 있다.
사회복지를 정의하는 4개의 영역인 '사회보장, 사회보험, 공공부조, 사회서비스'를 설명하고 있으며, 사회복지사업법의 상위 개념의 '정책과 행정'의 영역으로 이해 할 수 있다.
앞서 설명되어 있듯이, 「사회복지사업법」에서는 사회복지를 실천하는 방법이 정해져 있다. 이 실천을 위해 필요한 일자리는 무엇이 있을까? 주로 복지관에서 제공되는 서비스와 일자리에 대한 기준을 생각해 볼 수 있다. 「사회복지사업법」에서 정의하는 관련 법률과 그에 따른 서비스 전달체계에서는 '사회복지사'가 필요하다.

「사회보장 기본법」에서 정의하는 서비스의 경우에는 '사회복지사'의 자격증이 꼭 필요할까?

바꿔 말하면 사회복지에 대한 욕구는 '사회복지사'의 업무로, 혹은 '사회복지사'가 주가 되어 제공하면 해결될 수 있기 쉬우나 「사회보장기본법」에서 제공하는 것은 어떨까?
여기에서 고민을 해 볼 것이, '사회복지'를 공부하면 갈 수 있는 곳(자격증이 필수적으로 필요한 곳)과 '사회복지'를 공부하면 가기 쉬운 곳(자격증이 가점이 될 수 있는 곳)을 나눠서 생각해 봐야 한다는 것이다.

이 세상의 모든 서비스는 '수요(need)와 필요(want)'에 따라 결정된다. 그것이 개인적인 것이든, 정치적으로 만들어진 것이든 어쨌든 수요와 필요는 서비스를 발생시킨다.

가끔 어떤 사회복지사들과 얘기하다 보면, 대상자의 문제를 사회복지에 한정하여 바라보는 경향이 있다. 의료인도 마찬가지로 그렇고 행정인도 마찬가지로 그렇다. 그럴 때 우린 '수요와 필요'에 대해서 생각해 봐야 한다. 우리가 그것을 제공하는 재원과 기준(법)은 모두 어디에서 출발하는가?

사회복지학으로 사회복지를 하는데 많은 일은 할 수 있지만, 문제가 모두 해결될까? 그리고 문제는 하나일까? 단계는 없을까?

사회복지를 공부하고 갈 수 있는 일자리를 고민할 때는 이 부분을 꼭 생각해 봐야 한다. 그런 의미에서 사회복지학을 전공한 사람만이 있을 때와 그렇지 않을 때 '수요와 필요'에 적극 대응을 할 수 있다는 것을 꼭 생각해보면 좋겠다.

참고로, 내가 졸업했던 日本福祉大学 大学院 社会福祉학과의 경우 교수님들의 절반 이상이 타 전공이었다. 의학은 2명, 건축학은 1명, 경제학은 1명 등 다양한 분야의 전공자가 많이 있었고, 사회복지학을 전공한 교수는 50% 정도 수준이었다.
그렇다면 이즈음에서 생각해 볼 문제가 있다. 사회복지학을 전공한 사람만이 사회복지를 제공할 수 있을까?

사회복지사업법에서 제공하는 서비스야 그 법에서 정한 사회복지사가 제공하는 것이 합당할 수 있으나, 사회보장기본법에서 제공하는 것은 어떨까? 그럼 사회복지를 전공하면 사회복지사만 되어야 하는 것일까?

고민해 볼 문제다…….

제2장 나 그리고 사회복지 일자리

일자리를 구할 때 가장 중요한 점은 무엇일까?

급여, 근무환경, 미래의 도전할 가치가 있는지 여부 등 다양한 기준이 있을 것이다. 이번 장에서 말하고 싶은 핵심은 '나'이다. 일을 하는 것도 '나'이고, '나'와 '나'를 구성하고 있는 사회 안에서 접점을 찾고 선택을 할 것이다.

이 책을 읽는 사회복지를 공부하는 분들에게 묻고 싶다.

어떤 삶을 살고 싶고, 그 안에서 사회복지는 일자리로서 어떤 영향을 미치고 있습니까? 왜, 사회복지 일을 하고자 하십니까?

이런 주제에 대해 고민을 해본 적이 있을 것이다. 그런 고민을 해본 사람이라면 살아가면서 자주 그런 질문을 스스로에게 던질 것이다.

그것이 가장 중요하다고 생각한다. 나의 삶에 대해 고민하고 그 삶 안에서 하고 싶고, 할 수 있는 일자리를 찾기 위해 고민하는 것. 그것이 항상 모든 변화의 시작이었다.

이왕 사회복지를 공부하게 되었다면 조금 더 치열하게 고민해보기를 권하고 싶다. 이 일은 일에 대한 윤리와 철학이 정립되어 있으면 보다 수월할 수 있고, 그래서 종교 등을 갖고 있으면 여러모로 도움이 될 수 있다.
나보다 삶이 어려운 사람들을 만나는 일이 대부분이기 때문에 윤리와 철학 부분은 끊임없이 보완해야 할 영역이다.

1. 자경문을 통해 본 나의 삶

나의 삶과 사회복지를 고민하는 방법은 어떻게 하면 좋을 것인가? 조선의 위대한 학자의 말씀을 읽고 적용했던 나의 예를 들어 설명하고자 한다.

> **첫째,** 큰 뜻을 세우고 성인을 본보기로 삼아야 하되, 털끝만큼이라도 성인에 미치지 못한다면 나의 일은 끝나지 않는다.
>
> **다섯째,** 글을 읽는 것은 옳고 그른 것을 분별하기 위한 것이니, 만약 이를 살피지 않고 오롯이 앉아서 글을 읽는다면 쓸모없는 배움에 지나지 않는다.
>
> **열째,** 공부는 급하게 해서는 안 되며, 늦추어서도 안 되는 것은 죽은 뒤에야 끝이 나기 때문이다.

〈 「자경문」 중 일부 발췌 〉

자경문은 스스로를 경계하는 글로 율곡 이이 선생님께서 20세가 되던 해 어머니인 신사임당의 3년 상을 마치고 금강산에서 하산하며 지은 글이라고 한다.

내가 이 글을 접한 것은 내 나이 22세 때이다.

평소 존경하는 분에게 20대 초반에 어떤 책을 읽으셨는지 여쭈니, '한학(漢學)'을 공부하셨다. 그래서 나도 한번 읽어보자 싶어서 찾아본 책이 이 자경문이다. 여러 책들이 있었지만 20대 초 반의 나와 비슷한 나이에 조선의 대 학자는 어떤 마음으로 삶에 임하셨는지 매우 궁금했기 때문에 찾아보았다.

자경문을 처음 읽었을 때는 그 의미를 정확히 이해하지 못했다. 긴 글은 아니었지만, 그렇다고 쉽게 읽히는 글은 아니었다. 그래서 선택한 것이, 하루에 한 번은 꼭 읽고, 그것을 약 보름간 연속으로 이어서 해봤다. 그러니 그 의미가 조금은 마음에 와 닿았다.

그 중 첫 구절을 보면 다음과 같다.

"첫 번째, 큰 뜻을 세우고 성인을 본보기로 삼아야 하되, 털끝만큼이라도 성인에 미치지 못한다면 나의 일은 끝나지 않는다."

'立志'

뜻을 세운다는 의미이다.

이 책을 읽는 분들께 묻고 싶다. 사회복지를 공부하고 일자리를 찾는다면 어떤 뜻을 세우고 배우고 있는가?

스스로 세운 삶의 뜻은 있는가? 왜 사회복지를 공부하고, 왜 사회복지와 관련한 일자리를 가지려고 하는가?

그것을 먼저 세워야 한다고 생각한다.

물론 단번에 세울 수 있는 것도 아니고, 한번 세운 것을 끝까지 변화 없이 가져가야 하는 것도 아니다. 그럼에도 그 뜻을 세우는 노력은 지속되어야 한다. 뜻을 세워야 만이 도전할 수 있을 뿐 아니라, 멈출 수도 있다.

사회복지를 왜 공부하는가?

그 질문에 대한 답을 끊임없이 생각해야 한다.

다섯번째, 글을 읽는 것은 옳고 그른 것을 분별하기 위한 것이니, 만약 이를 살피지 않고 오롯이 앉아서 글을 읽는다면 쓸모없는 배움에 지나지 않는다.

사회복지학과 학부를 졸업하고 서울의 노인종합복지관에 취업을 했다. 당시 노인장기요양보험이 공청회를 거치며 입법을 준비하던 때였고, 나는 일본과 같이 '케어메니져자격'이 생길 것으로 예상하고 노인복지관에서 경력을 쌓고 있었다.
그러던 중, 최종 입법안이 결정되었는데 '케어메니져자격'이 없어지고 말았다. 계획이 틀어진 것이어서 어찌나 속상하던지……. 그때 유학을 가기로 결심을 했다.

학교를 졸업하고 직장이 있는 상태에서 결혼이 아닌 유학을 결정하는 아들에게 아버지는 다음과 같이 말씀하셨다.

"공부하겠다고 마음을 먹었으면 쓸 수 있는 공부를 해라"

공부한 것을 활용하지 못하는 글이 아닌, 공부한 것을 활용할 수 있는 공부를 하라는 말씀이셨다. 이왕 유학을 가기로 마음먹었으면 가서 공부를 열심히 하되 꼭 활용 가능한 공부를 하라는 말씀이셨다.

자경문의 위 구절도 같은 맥락이라 생각했다.

사회복지를 공부한다면, 그것을 활용하기 위해서 무엇을 더 배워야 하는지와 공부하여 어떻게 활용할 지에 대해서 끊임없이 고민해야만 한다.
단지 학점을 채우기 위한 공부? 그것도 중요하지만 문제는 배운 것을 나의 일과 삶에 어떻게 적용할 수 있는지가 더 큰 고민이 되어야 한다.

열 번째, 공부는 급하게 해서는 안 되며, 늦추어서도 안 되는 것은 죽은 뒤에야 끝이 나기 때문이다.

배운다는 것은 무엇인가?

취득하기 어려운 자격증을 얻었다고 해서 그 자격에 대해 배움이 끝난 것일까? 의사 면허를 취득한다면, 변호사 면허를 취득한다면? 취득과 동시에 끝나는 것인가?

배운다는 것은 끊임없는 것이다.

공부라 하는 것은 오롯이 책만 읽는 것도 아니고, 정답을 맞히는 행위만을 뜻하는 것도 아니다.

사회복지를 공부한다는 것은 어디부터이며 어디까지일까? 사회복지학과를 졸업과 동시에 끝나는 것일까? 그런 공부는 느리게도, 급하게도 아닌 죽은 뒤에야 끝나는 것이라는 마음으로 해야 할 것이다.

사회복지를 공부하며 일자리를 찾는다면 꼭 생각해 보길 바란다.

'나는 누구인가?'
'나는 왜 사회복지를 공부하는가?'
'나는 사회복지를 공부해서 어떤 일을 하고 싶은가?'

그러기 위해서, 立志가 필요하다.

왜 이 공부를 하고, 왜 이 일을 해야 하는지.
자기 스스로 납득할 수 있는 삶의 의미, 立志를 해야 한다.

당신의 일자리는 그것을 정하는 것에서부터 시작하는 것이 좋을 것으로 생각한다. 이는 곳 '나'를 찾는 것과 같은 이치다.
나를 찾고, 나의 삶을 세우고, 그 다음 나의 일자리를 찾는 작업이 훨씬 시행착오를 줄일 수 있는 일이라고 생각된다. 그 방법에 있어서 「자경문」과 같은 옛 선조들의 위대한 글을 따라 배우는 것이 필요하다고 생각한다.

2. 논어를 통해 본 나의 삶

동양의 대표철학서인 「논어」의 많은 구절 중 다음의 세 가지가 가장 마음에 와 닿는다.

첫째, 배우고 그것을 때때로 익히면 또한 기쁘지 않겠는가? (學而時習之, 不亦說乎) 둘째, 쉰에는 천명을 깨달아 알게 되었고 (五十而知天命), 예순에는 어떠한 말을 들어도 그 이치를 깨달아 저절로 이 해를 할 수 있었고 (六十而耳順), 일흔에는 하고 싶은 대로 행동을 하여도 법도에 어긋나는 일이 없었다 (七十而從心所欲 不踰矩). 셋째, 옛것을 알고 새로운 지식을 터득하면 능히 스승이 될 수 있다 (溫故而知新,可以爲師矣)

첫째, 배우고 그것을 때때로 익히면 또한 기쁘지 않겠는가?(學而時習之, 不亦說乎)

논어의 첫 장의 첫 말씀이다.

배우는 것은 삶의 즐거움이고 그것은 평생을 두고 계속해야 한다는 말씀으로, 여기서 '배운다'는 것에 의미를 한 발 어 나아가 생각해 봐야 한다.
시험을 잘 보고, 취업하고, 승진하여 급여가 오르는 과정도 매우 중요하고, 이와 더불어 文史哲 詩書畵의 수양을 평생 동안 '배움'을 통해 발전해 나가야 함을 생각해 보는 것이 중요하다.

문제는 배우고 익힌다는 것이 삶의 괴로움이 아니라 즐거움이 될 수 있다는 것이다.

생각을 세우고 그것을 실행하는 과정을 통해 배우고 그것을 때때로 익히면 기쁘지 아니할까? 어쩌면 그런 삶이 우리가 항상 생각하는 죽음의 바로 직전에 참 즐거운 인생이었다고 생각해 볼 수 있는 삶의 즐거운 평가가 아니겠는가 생각해본다.

둘째, 쉰에는 천명을 깨달아 알게 되었고(五十而知天命), 예순에는 어떠한 말을 들어도 그 이치를 깨달아 저절로 이 해를 할 수 있었고(六十而耳順), 일흔에는 하고 싶은 대로 행동을 하여도 법도에 어긋나는 일이 없었다(七十而從心所欲 不踰矩).

일흔에 다다른 나이가 오기 전, 하고 싶은 대로 행동을 해도 법도에 어긋나는 일이 없이 살기 위해서는 무엇을 해야 할까? 나는 어떤 삶을 사는 것이 좋을 것인가?
이를 위해 나는 어떤 삶과 어떤 일자리를 갖는 것이 나에게 가장 알맞은 선택일 것인가? 이러한 고민들을 하면서 삶의 지향점을 찾아가면 조금 더 삶이 풍요롭게 변화할 수 있을 것이고, 삶의 조급함도 조금 덜해질 것으로 생각된다.

셋째, 옛것을 알고 새로운 지식을 터득하면 능히 스승이 될 수 있다(溫故而知新,可以爲師矣).

일본에서 노인장기요양보험을 공부하고 한국에 돌아와서 대한노인요양병원협회 정책연구원으로 약 8개월을 근무한 뒤, 보건복지부 산하 한국보건복지인력개발원에 취업을 했다.

석사학위 논문은 개호(介護, 장기요양)보험에 대한 한국과 일본의 정책비교를 '보건・의료・복지복합체'를 중심으로 연구해 보았다.
노인장기요양보험에 대해서는 제법 공부를 해 왔고, 대한노인요양병원협회에 있을 때 만성기의료와 노인장기요양보험과의 관계와 정책의 유사성 등에 대해서 고민해 보며 지내왔다.

한국보건복지인력개발원에는 완전 신입으로 입사했다. 지금까지의 경력보다는 그 곳에서의 경력을 인정하는 경향이 있었고, 행정업무를 하는 일반직이었기 때문에 그간 공부한 역량을 펼칠 기회는 그리 많지 않았다.
그러던 중 교수직으로 있는 한 분과 노인장기요양보험제도에 관련해서 이야기를 나눈 적이 있다. 그 분은 2002년 즈음 노인장기요양보험에 대해 정부에서 막 논의를 시작할 때 즈음에 관련한 정책에 일부 개입하였다고 한다.
이후 관련하여 정책의 흐름을 파악하여 일본의 사례도 제법 공부하며 보냈다고 하며 노인장기요양 정책에 대한 지식을 마음껏 뽐냈다. 그런데 '케어메니져'와 '개호복지사' 그리고 '홈헬퍼'의 구분을 하지 못하였다.

이 때 생각이 들었다.

아주 단순하고 당연한 말이지만, 나이가 들면서 학습하며 습득하는 지식이 중간에 멈추면 누구든 그 지식은 멈추게 된다는 점과 지금부터 3년간 한 분야를 학습한다면, 그 분야를 공부하지 않은 사람과 옛 지식에서는 차이가 있더라도 새로운 지식의 양은 늘어나게 된다는 점.
그래서 내가 나이가 들면 들수록 겸손하게 배워야 한다는 점과,

옛것을 익히고 새것을 알아야 하는 것이 평생 동안 하는 학습에 있어서 정말 중요하다는 것을 알게 되었다.

그것이 실력이고, 돈을 받고 일을 하는 사람들에게는 당연히 필요한 것이라는 것을 새롭게 깨우치게 된 계기가 되었다.

옛것을 알고 새것을 익히는 것만큼 강력한 학습은 없다고 생각한다. 그렇게 학습하며 성장해야 만이 立志의 당초 뜻을 달성할 수 있을 것이다.

아울러 출발이 조금 늦더라도 꾸준히 학습하며 성장해 나간다면 분명 의미 있는 삶이 만들어 질 수 있겠다는 믿음을 가져도 된다.

일자리를 찾고 목표를 달성하기 위해 자기의 삶을 치열하게 고민해 봐야 한다. 삶은 생각보다 짧다. 어른들은 나이가 들수록 시간은 더 빨리 간다고 한다. 짧은 인생, 하루하루 삶의 의미를 되새겨 보며 한번 사는 삶을 일에 있어 의미 있는 방향으로 YOLO[6]를 외치며 살아보면 어떨까?

이왕 사는 것 의미 있는 철학을 다지며, 학습하며, 일하며 나의 길을 찾아가며 살아보면 어떨까?

3. 사회복지사로서 나의 일자리 종류

사회복지사 자격증을 갖고 있으면 들어갈 수 있는 일자리는 대부분 관련법에 근거하여 이루어져 있다. 복지에 대한 국민적이 요

6) 'You Only Live Once(한 번뿐인 인생)'의 약자. 한 번뿐인 인생에서 기회를 놓치지 말고 현재를 즐기며 살아야 한다는 의미가 있다.(출처: 다음 백과사전)

구와 정책이 다양화 될수록 관련한 법은 늘어나기 마련이다.

여기서 말하는 일자리가 꼭 사회복지사 자격증이 있어야만 들어갈 수 있는 일자리는 아니다. 다만 사회복지관련 법에 근거하여 운영되는 일자리이기 때문에 사회복지사 자격증을 갖고 있는 사람이 채용되어야 하거나, 채용 시 우대가 될 수 있는 일자리(혹은 직장)이다.

사회복지관련 일자리를 찾기 위해서는 각자의 기준이 있지만, 아래의 세 가지 방법은 꼭 검토하며 구해보는 것을 추천한다.

첫째, 관련법을 먼저 찾아보는 것을 추천한다. 대한민국 정부는 법령을 아주 검색하기 편하게 정리되어 있다.

국가법령정보센터
www.law.go.kr

국가법령정보센터에서는 키워드로 법령을 선택할 수 있다. 관련법을 찾아본다는 것은 그 일의 근거와 해야 하는 일에 대해 정확히 파악할 수 있다.
정부나 국회에서 입법하여 결정하는 법과 법에 규정하는 사항을 조금 더 세분화하여 정한 시행령 그리고 시행령의 세부사항을 각 부처의 장관(급)이 정한 시행규칙이 있다.
이보다 자세한 내용은 각 부처의 홈페이지에서 제공되는 규정에서 확인할 수 있다. 아울러 지방자치단체의 경우에는 조례를 통해서 정하는 경우가 많다.

본인이 희망하는 일자리가 있다면 꼭 법을 찾아보자.

둘째, 커뮤니티를 들어가 보자. 커뮤니티라 하면 포털 사이트의 카페 등을 참고할 수 있지만, 그것 보다는 관련한 일자리별 이익단체의 커뮤니티(협회)를 검색해 보는 것이 중요하다.

복지관은 복지관별 협회를 두고 사업의 발전과 안정적인 운영을 위한 다양한 노력들을 기울인다. 학교사회사업을 하는 분들은 관련한 협회를 별도로 만들어서 그들의 전문성을 강화하기 위한 노력을 한다.

직장에 따라, 직무에 따라서 자유롭게 커뮤니티는 활성화가 되어있다. 그 내용을 파악하는 것은 일자리를 파악하기 위해 매우 도움이 될 것이라 생각한다.

셋째, 구직사이트를 알아보고 채용조건을 확인하자. 개인적으로는 이 부분이 일자리를 찾는 데에 가장 중요하다고 생각한다. 고용하는 곳을 기준으로 정확한 역량을 갖고 있는 사람을 적시에 구하기는 쉽지 않은 일이다. 공무원 시험과 같이 채용기준이 비교적 명확한 경우(시험)는 예외로 하더라도, 본인이 원하는 일자리의 채용기준을 수시로 체크하는 것은 중요하다고 생각한다.

취업이 적어도 1년이나 몇 개월이라도 남아있는 상황이라면 본인이 가고자 하는 일자리의 채용공고를 본다는 것은 시험문제를 미리 볼 수 있는 것과 같은 것이다. 이렇게 채용사이트에 들어가서 자격기준을 확인하는 것을 1~2학년의 학부생들이라면 더욱 추천한다. 본인이 갈 곳과 그 곳에서 필요로 하는 자격을 미리 체크해서 자격증이나 관련 역량을 미리 준비할 수 있기 때문이다.

구직사이트를 검색하는 방법과 주안점에 관해서는 다음에 보다 자세히 다루고자 한다.

위와 같이 일자리를 검토하는 방법에 대해서 설명하였다.

본인에게 맞는 일자리는 본인만이 안다. 본인의 삶과 사회에 대한 이해를 하고, 가장 즐겁게 그리고 잘할 수 있는 일을 찾는다는 것이 쉬운 것은 아니다. 아울러 앞서서는 일자리 종류 및 마음가짐 등에 대해서만 설명하였지만, 어쩌면 가장 중요한 것은 급여라고 보는 사람도 있을 수 있다.

이 부분은 지극히 개인적인 가치판단이 들어가는 부분이고, 옳고 그름이 없으므로 개인의 판단에 맡긴다.

다만, 사회복지학을 공부한 뒤 사회복지사 자격증을 갖고 있을 때 채용의 절대조건 아니면 우대항목에 들어갈 수 있는 일자리를 아래와 같이 정리 해 보았다. 여기에는 국회, 언론사, 시민단체 등을 세분화하여 정의하기 보다는 법상 정해진 기준에 따라 사회복지사 자격증을 갖고 있으면 도움이 되는 직장을 정리하였다.

따라서 여기에서 정리된 직장만이 있는 것이 아니라, 이 외에도 특별법 등에서 정하거나 각 지방자치단체에서 조례로 정한 부분에 대해서는 누락될 수 있으니 이 점 참고하여 주시길 바란다.

<table>
<tr><th colspan="2">구분</th><th>근거 및 수행업무</th><th>직장(일터)</th><th>비고</th></tr>
<tr><td rowspan="21">사회복지사업법</td><td rowspan="2">지역사회복지</td><td rowspan="2">주민의 복지증진과 삶의 질 향상을 위하여 지역사회 차원에서 전개하는 사회복지</td><td>지역사회복지협의체</td><td></td></tr>
<tr><td>사회복지협의회</td><td></td></tr>
<tr><td rowspan="6">사회복지시설</td><td rowspan="6">사회복지사업을 할 목적으로 설치된 시설(생활시설)
대상자 생활 및 관련 행정업무를 수행하며 대상자 상담 및 정서지원과 후원자 개발, 연계 등의 업무를 수행</td><td>노인 복지시설</td><td></td></tr>
<tr><td>장애인복지시설</td><td></td></tr>
<tr><td>부랑인복지시설</td><td></td></tr>
<tr><td>아동복지시설</td><td></td></tr>
<tr><td>정신 요양시설</td><td></td></tr>
<tr><td>모자복지시설</td><td></td></tr>
<tr><td rowspan="7">사회복지관</td><td rowspan="7">지역사회를 기반으로 일정한 시설과 전문 인력을 갖추고 지역주민의 참여와 협력을 통하여 지역사회의 복지문제를 예방하고 해결하기 위하여 종합적인 복지서비스를 제공하는 시설(이용시설)
분야별 이용자들에 대한 상담, 프로그램 기획과 운영, 자원봉사모집, 자원발굴 및 연계 등을 수행</td><td>지역 내 종합복지관</td><td></td></tr>
<tr><td>노인종합복지관</td><td></td></tr>
<tr><td>장애인종합복지관</td><td></td></tr>
<tr><td>청소년수련관</td><td></td></tr>
<tr><td>자원봉사센터</td><td></td></tr>
<tr><td>주간보호센터</td><td rowspan="2">비영리법인</td></tr>
<tr><td>재가복지센터</td></tr>
<tr><td rowspan="2">사회복지서비스</td><td rowspan="2">국가、지방자치단체 및 민간부문의 도움을 필요로 하는 모든 국민에게 「사회보장기본법」 제3조제4호에 따른 사회서비스 중 사회복지사업을 통한 서비스를 제공하여 삶의 질이 향상되도록 제도적으로 지원하는 사업</td><td>주간보호센터</td><td rowspan="2">영리</td></tr>
<tr><td>재가복지센터</td></tr>
<tr><td rowspan="3">보건의료서비스</td><td rowspan="3">국민의 건강을 보호、증진하기 위하여 보건의료인이 하는 모든 활동</td><td>정신 보건센터</td><td></td></tr>
<tr><td>병원(의료사회복지사)</td><td></td></tr>
<tr><td>정신장애그룹홈(센터)</td><td></td></tr>
<tr><td>사회복지
전담공무원</td><td>사회복지사업에 관한 업무를 담당하게 하기 위하여 시·도, 시·군·구 및 읍·면·동 또는 복지사무 전담기구에 사회복지전담공무원을 둘 수 있음</td><td>사회복지
전담공무원</td><td></td></tr>
</table>

구분		근거 및 수행업무	직장(일터)	비고
사회복지공동모금회법	모금단체	공동모금을 통하여 국민이 사회복지를 이해하고 참여하도록 함과 아울러 국민의 자발적인 성금으로 조성된 재원(財源)을 효율적이고 공정하게 관리·운용 하기함으로써 사회복지증진에 이바지함을 목적	사회복지공동모금회	
정부 및 공공기관	공공기관	국가·지방자치단체가 아닌 법인·단체 또는 기관(이하 "기관"이라 한다)으로서 다음 각 호의 어느 하나에 해당하는 기관을 공공기관으로 지정할 수 있음	보건복지부 산하 공공기관 및 복지관련 정부 부처별 기관 등	
			시도, 시군구 복지재단 등	
	정부보조사업	보조금이란 국가 외의 자가 수행하는 사무 또는 사업에 대하여 국가가 이를 조성하거나 재정상의 원조를 하기 위하여 교부하는 보조금, 부담금, 그밖에 상당한 반대급부를 받지 아니하고 교부하는 급부금	각 시도, 시군구 소속 혹은 위탁기관 소속 보조금사업 수행인력(예: 지역아동센터 등)	
			학교사회복지사	
			교정사회복지사	
민간기업	민간기업	기업의 사회적 책임과 이미지 제고 등의 이유로 민간기업에서는 사회공헌과 관련한 업무를 추진하고 있으며, 관련 팀에 사회복지 전공자를 채용함	기업별 사회공헌 관련부서	
기타	기타	분야별 이익단체	분야별 협회 등	
		국회	사무처 및 보좌관 등	
		분야별 언론사	분야별 언론사 등	
		분야별 시민단체	분야별 시민단체 등	
		교수	대학의 교수	

[표] 사회복지사 자격증을 필요로 하거나, 사회복지를 전공하면 우대하는 일자리

4. 사회복지 일자리 검색하기

일자리를 찾는 사이트는 여러 곳이 있다.

잡코리아(www.jobkorea.co.kr), 사람인(www.saramin.co.kr), 인쿠르트(www.incruit.com)와 같이 민간 기업에서 운영하는 구직사이트가 있는가 하면, 고용노동부 산하 한국고용정보원에서 운영하는 워크넷(www.work.go.kr)과 같은 사이트가 있다.

일반적으로는 위 사이트에서도 사회복지를 전공한 사람들이 갈 수 있는 일자리가 올라오는 경우가 많다. 워크넷에서 '사회복지'로 검색을 하면 총 4,441건(2017. 12. 27. 기준)이 검색되었다. 최근에는 주로 장기요양과 그와 관련한 일자리 채용이 많다.

< 워크넷 검색사진, 사회복지사가 5번째 인기 검색어이기도 하다 >

워크넷의 경우는 타 사이트와 구직정보를 공유하기 때문에 관련 일자리를 찾기가 수월하며, 직업·진로 분야를 검색하여 분야에 대한 이해를 도울 수 있고, 뉴스검색 등이 포함되어 검색하는 일자리에 대한 최신 정보를 비교적 쉽게 취득할 수 있도록 되어있다.
혹시 사회복지학 전공의 학부생이라면 한번쯤 워크넷에 들어가서 진로에 대한 다양한 정보를 찾아보고, 구직관련 행사에도 참여하여 채용 시 필요한 정보들을 탐구해 보는 것을 적극 추천한다.

일자리를 검색하는 것은 많은 의미가 있다.

채용을 준비하는 사람들에게는 본인이 희망하는 일자리에 대한 취업정보를 미리 검색하여 관련한 자격증이나 필요 기술들을 습득할 수 있다. 본인이 가고 싶은 곳에 대한 정보를 습득하며 꿈을 생각해 볼 수도 있는 법이다. 꿈을 그리면 그것을 이루고자 하는 힘이 생기기 마련이고, 이루고자 하는 힘은 새로운 것을 탐구하며 더욱 새로운 도전하기 마련이다.
그래서 가고 싶은 일자리를 지속적으로 찾아보고 관련한 능력을 준비하는 것이 중요하다고 생각한다.

이 장에서는 일반적으로 공개되어 있는 구직사이트 이외에 사회복지를 전공한 사람들에게 보다 세분화 하여 구직정보를 알 수 있는 대표적인 3개의 사이트를 소개하고자 한다.
여기에서 소개하는 구직정보가 모든 구직정보를 망라하는 것은 아니다. 다만 사회복지를 전공한 사람들에게 보다 세분화한 정보를 제공될 수 있다는 판단이 들어서 소개하는 것이니 만큼, 워크넷이나 잡코리아 등 다른 구직사이트들도 체크 해 볼 것을 권유하면서 소개하고자 한다.

한국사회복지사협회(www.welfare.net)

사회복지사들의 가장 공신력 있는 단체인 한국사회복지사협회는 사회복지에 관한 전문지식과 기술을 개발·보급하고 사회복지사의 자질 향상을 위한 교육훈련 및 복지증진을 도모하는 역할을 하고 있다.

홈페이지의 메인 하단에는 사회복지사 구인에 대한 정보가 있다. 해당부분을 클릭하면 관련 페이지로 바로 이동하게 된다.

< 한국사회복지사 홈페이지 메인화면(2017. 12. 27. 기준) >

사이트에 올라온 종합사회복지관의 채용정보를 보면 다음과 같다. 우선 서울소재 장애인종합복지관의 채용정보는 다음과 같다.

제목	직업재활사 또는 사회복지사 모십니다.
형태	정규직
직종	직업훈련
근무지역	서울
모집인원	1명
자격요건	00장애인종합복지관에서는 장애인복지사업에 열정과 전문성을 갖춘 직원을 아래와 같이 모집하오니 많은 지원바랍니다. - 모집분야: 직업재활사(사회복지사) 1명 - 업무: 직업지원팀 직업지원사업(직업적응훈련 및 직업교육) - 모집인원: 1명 - 자격: 직업재활사 및 사회복지사 자격증 소지자 - 우대조건: 등록장애인, 직업지원사업 유경험자, 바리스타자격증 소지자 - 급여조건: 서울시장애인복지사업안내에 따름 - 근무처: 00장애인종합복지관 - 서류 접수기간: 2017년 00월 00일(금)~00월 00일(금) 16:00 - 서류합격자 발표: 개별연락 및 본관 홈페이지 - 면접예정일: 2018년 00월 00일(수) 시간 추후공지 - 근무일: 2018년 00월 00일부터

〈 사회복지관의 채용공고(welfare.net 발췌) 〉

직업재활사(사회복지사)를 모집하고 있다. 직업지원팀의 직업지원사업(직업적응훈련 및 직업교육)업무를 담당하는 직원으로 직업재활사라는 자격증이 필요로 되고 있다.

직업재활사(Vocation Rehabilitation Counselor)로서 신체적·정신적·사회적으로 장애가 있는 사람들이 직업을 가진 시민으로 살아가면서 스스로 독립된 삶을 영위하도록 지원하는 장애인 직업재활 전문 인력이다.

주로 사례발견, 재화계획수립, 재활서비스 제공, 직업배치, 취업 후 서비스 제공 등을 통해 직업재활 과정에서의 개입을 통해 장애인 등의 역량강화와 정책 환경 개선을 위한 노력들을 하고 있다. 한국직업재활사협회(www.karc.kr)에서 주관하는 자격증으로 장애인 관련 업무를 위해서는 도움이 될 수 있는 자격증이다.

만약 장애인복지, 그 중에서도 장애인의 직업재활에 관심을 갖고 일자리를 구하는 경우에는 준비해 볼 수 있는 자격증이다. 이와 같이 구직 정보의 검색은 향후 갖게 될 일자리에 대한 사전 정보를 제공 받을 수 있게 된다.

welfare.net에서는 사회복지 분야의 다양한 구인정보들이 제공되고 있는데, 생활지도사에서부터 자원봉사센터, 의료사회복지사 등 사회복지와 관련한 전문 직종의 정보를 가장 손쉽게 얻을 수 있는 곳이다. 따라서 사회복지사로서 현장에서 근무하고자 하는 경우는 welfare.net을 통해 일자리를 알아보는 것이 가장 정확한 정보를 쉽게 얻을 수 있는 방법이다.

다음으로는 welfare.net의 구인정보 중 일부를 발췌하여 소개하고자 한다.

기관명	제목	모집기간	인원
00원	생활지도원 [근무지역] 경기 [채용형태] 정규직 생활지도사	2017. 00. 00.~ 2018. 00. 00.	2
00구 자원봉사센터	00구자원봉사센터 직원(팀원) 채용공고 [근무지역] 서울 [채용형태] 정규직 일반직원	2017. 00. 00.~ 2018. 00. 00.	1
00구구립 장애인보호작업장	직업훈련교사 모십니다. [근무지역] 서울 [채용형태] 정규직 직업훈련	2017. 00. 00.~ 2018. 00. 00.	1
0000병원	사회복지사 채용공고 [근무지역] 충남 [채용형태] 정규직 사회복지사	2017. 00. 00.~ 2018. 00. 00.	1
000시각 장애인복지관	000시각장애인복지관 사회복지사 채용 공고 [근무지역] 서울 [채용형태] 정규직 사회복지사	2017. 00. 00.~ 2018. 00. 00.	1

〈 welfare.net의 구인정보(www.welfare.net 발췌) 〉

앞서 말했지만 사회복지 관련 일자리를 찾는 경우 가장 먼저 방문하여 검색할 사이트로 주로 사회복지학 전공 학부를 졸업한 종사자들이나 민간에서의 경력을 쌓고, 사회복지관련 실천현장에서 일을 구하는 경우에 일자리 정보를 쉽게 얻을 수 있게 된다.

경우에 따라 급여 등의 근무 조건 등도 공개되고 있으니 급여수준 등을 가늠해 볼 수 있는 정보가 될 수 있다. 현장의 사회복지사를 꿈꾸는 경우 꼭 들러 볼 웹페이지이다.

Hibrain.net(www.hibrain.net)

하이브레인넷은 고급(High) 두뇌(Brain)를 위한 네트워크를 지향하며 국내 연구인력 채용정보에 대한 대표적 사이트이다. 1996년 창원대학교의 데이터베이스연구실에서 시작하여 현재에 이르고 있다. 주로 석·박사들의 대표적인 구직사이트이지만 최근에는 학사에 대한 구직도 많이 나오고 있다.

채용정보, 대학원생 모집, 학술연구정보, 해외연수 등의 메뉴로 구성되어 연구 인력에 대한 정보를 다수 공유하고 있다. 구직이 아니더라도 대학원 진학을 염두 할 때 참고할 수 있는 사이트이기도 하다.

채용정보의 경우는 '전공, 유형, 지역, 기관, 학력'을 구분하여 제공되고 있다. 최근 홈페이지를 개편하여 추천채용에서 쉽게 정보를 얻을 수 있도록 조치되었다.

< Hibrain.net 채용정보 사이트(2017. 12. 28. 기준) >

앞에서도 설명 했지만 채용사이트를 보는 이유는 지금 당장의 일자리를 알아보는 이유도 있지만, 앞으로 몇 년 후 가고 싶은 일자리에 대한 정보를 습득하기 위함이기도 하다.

그런 정보를 많이 갖고 있는 곳이 하이브레인넷이다. 정부기관에서 학교 및 각종 연구소등에 대한 정보가 있기 때문에 30대 이후의 이직 시에도 주로 참고가 될 수 있다.

혹시 학부생이라면 이 부분을 눈여겨보면 좋겠다.

□ **응시자격 요건**

○「국가공무원법」제33조의 결격사유에 해당하지 않는 자로서 **다음 응시 자격 요건 중 하나 또는 그 이상의 자격요건을 충족한 경우** 응시할 수 있음 (최종 면접일 기준)

▶ **입법조사관(일반임기제 5급)**

구 분	자격요건
학위기준	• 관련 직무분야 박사학위 소지자 • 관련 직무분야 석사학위 소지 후 4년 이상의 경력이 있는 자
근무경력 기준	• 임용예정직급과 동일 직급에서 2년 이상 근무한 경력이 있는 자 • 임용예정직급에 상당하는 3년 이상 근무경력 및 연구경력이 있는 자 • 관련 직무분야 민간근무경력이 9년 또는 임용예정직급에 상당하는 관리자 경력 3년 이상인 자

▶ **입법조사관(전문임기제 나급)**

구 분	자격요건
학위기준	• 임용예정 직무분야와 관련된 박사학위를 취득한 사람 • 임용예정 직무분야와 관련된 석사학위를 취득한 후 2년 이상 해당 분야의 경력이 있는 사람 • 임용예정 직무분야와 관련된 학사학위를 취득한 후 4년 이상 해당 분야의 경력이 있는 사람
근무경력기준	• 학사학위를 취득한 후 6년 이상 임용예정 직무분야의 경력이 있는 사람 • 9년 이상 임용예정 직무분야의 경력이 있는 사람 • 6급 이상 또는 6급 이상에 상당하는 공무원으로 2년 이상 임용예정 직무분야의 경력이 있는 사람

< 국회 입법조사처의 응시자격 요건 >

국회 입법조사처의 채용 기준이다. 학위 및 근무경력기준이 제시되어 있기 때문에 전문직 공무원을 꿈꾸고 있는 20대에게는 30대 이후의 목표를 설정할 수 있다. 목표를 정하게 되면 관련 경력 및 학위 등을 취득하기 위한 인생의 경로관리를 스스로 설계할 수 있다. 이 부분에서 학위과정의 학생들도 꼭 하이브레인넷에서 구인정보를 얻기를 바란다.

연구직으로 진로를 고민하는 경우는 학위 및 유학 등에 대한 정보를 습득할 수도 있다.

브레인상담실

전체	진로상담실

· 영어 혹은 일본어로 학위 취득이 가능한 일본 국립대 유학에 관심 있으신분

· 폴란드 포닥에 대해 아시는분 [1]

· 미국 유학 석사 가능성 있을까요?

· SOP 방향 설정에 대한 조언 부탁드립니다. [2]

· 미국 유학... [1]

< 브레인상담실, 진로 및 유학 등의 진학상담도 하고 있다 >

따라서 진학을 고민하거나 유학을 결심한 경우는 위 사이트에서 정보를 얻는 것이 큰 도움이 될 것으로 생각된다. 유학의 경우 유학생 사이트와 연계되는 경우도 있기 때문에 유학 전 준비할 사항에 대해 비교적 많은 정보를 얻을 수 있다.

이 글을 쓰는 나 역시 일본에 유학을 고민할 때 하이브레인넷을 통해 유학갈 곳에 대한 정보를 많이 얻을 수 있었다. 배움이란 삶이 끝날 때 비로소 끝나게 된다. 따라서 학습하고 성장하는 활동은 나이가 중요하지 않다. 하이브레인넷을 통해 일자리에 대한 검색과 더불어 미래의 경력관리도 함께 해 보길 추천한다.

공공기관 알리오(www.alio.go.kr)

< 공공기관 알리오 홈페이지 >

알리오(ALIO: All Public Information In-One)는 국민들이 공공기관의 경영과 관련된 주요 정보를 인터넷을 통해 종합적으로 한눈에 파악할 수 있도록 2006년에 구축한 시스템이다.

공공기관이란 정부의 투자·출자 또는 정부의 재정지원 등으로 설립·운영되는 기관으로서 일정요건에 해당하여 기획재정부장관이 매년 지정한 기관을 의미한다. 공공기관의 채용과 관련한 비리가 언론에 많이 나오고, 공공기관을 목표로 하는 사람들의 인터넷카페등도 있지만 알리오의 정보가 가장 신뢰할 수 있다고 생각한다.

공공기관에 채용되기 위해서는 공공기관의 특성을 알아야 하는데, 기관별로 성격과 그 내부사정은 전혀 다르기 때문에 이 책에서는 그것을 논하기는 힘들지만, 적어도 2017년 기준으로 330개의 공공기관이 있고 보건복지부 산하의 기관이 있으며 사회복지를 공부하면 가점이 주어지는 곳도 있다.

보건복지부 산하의 공공기관이야 당연하지만 한국산림복지진흥원, 한국보훈복지의료공단 등 기관 이름에서 복지라는 이름이 있는 경우는 사회복지와 관련한 전공을 하면 조금 더 입사 시 유리한 기준들이 있을 수 있다. 한국산림복지진흥원의 최근 채용기준을 보면 '유아숲지도사' 혹은 '삼림치유지도사' 등의 별도 자격을 취득해야 경쟁력을 갖출 수 있지만, 이는 진로를 정하는 학부생들에게는 충분히 준비할 수 있는 자격증일 수 있다. 아울러 한국보훈복지의료공단의 보훈병원이나 요양시설의 경우는 사회복지사를 채용하고 있다.

이와 같은 공공기관의 채용에 대한 정보는 공공기관 알리오를 통해서 알 수 있다. 채용정보를 검색해 보면 채용분야를 정할 수 있고 근무지, 고용현태, 채용구분 등의 세부 항목으로 검색할 수 있다. 처음부터 정규직으로 도전하는 방법도 있고, 자신이 갈고 닦고 싶은 분야가 있는 경우에는 계약직으로 전문성을 강화하는 방법도 고민해 볼 수 있다.

여기서 잠깐 계약직에 대한 고민을 해보자면, 정규직과 계약직의 차이가 무엇인지 고민된다. 사회보장이 안정되게 제공되는 사회에서 소비에 대한 각자의 기준이 어느 정도 정해지면 계약직이 굳이 나쁘지는 않다고 생각한다. 지극히 개인적인 소견이지만 정규직을 선호하는 이유는 미래의 불확실성 때문인데, 그 불확실성을 고민하는 배경에는 '절대 짤리지 않는다'는 마음가짐 때문이라고 생각한다.

일자리를 구할 때 고민해 볼 문제다. '절대 짤리지 않는다'는 것이 삶에 얼마나 큰 의미가 있는 것인지 고민해보는 것은 어떨까? 죽기 전까지 자기가 하고 싶은 일(業)에 대해 뜨겁게 고민해 보는 것도 필요하다고 생각한다(이 부분은 다음 장에서 더 논의하고자 한다).

채용정보 검색

등록 년·월	선택하세요. 년 선택하세요. 월		
채용분야	사업관리 / 경영.회계사무 / 금융.보험 / 교육.자연.사회과학 / 법률.경찰.소방.교도.국방 / 보건.의료 / 사회복지.종교 / 문화.예술.디자인.방송 / 운전.운송 / 영업판매 / 경비.청소 / 이용.숙박.여행.오락.스포츠 / 음식서비스 / 건설 / 기계 / 재료 / 화학 / 섬유.의복 / 전기.전자 / 정보통신 / 식품가공 / 인쇄.목재.가구.공예 / 환경.에너지.안전 / 농림어업 / 연구		
근무지	서울특별시 / 인천광역시 / 대전광역시 / 대구광역시 / 부산광역시 / 광주광역시 / 울산광역시 / 경기도 / 강원도 / 충청남도 / 충청북도 / 경상북도 / 경상남도 / 전라남도 / 전라북도 / 제주특별자치도 / 세종특별자치시 / 해외		
고용형태	정규직 / 무기계약직 / 비정규직 / 청년인턴		
채용구분	신입 / 경력 / 신입+경력	대체인력유무	예 / 아니오
공고기간	~	상태	진행중 / 마감
기관명	전체		
제목	채용제목을 입력해주세요.		

검색 닫기

< 알리오의 채용정보 검색 >

분야별로 채용정보가 나뉘어져 있다. 20대라면 본인의 희망하는 분야를 결정하고 지역을 선택하며 도전하길 바란다. 내가 죽을 때까지 갖고자 하는 업(業)에 맞는 일인지 하는 고민은 계속되어야 하는 것이다.

이상 세 개의 사이트를 소개했다.

참 많은 정보가 오고 가고 있다. 그 안에서 나의 일자리를 찾는 것은 쉬운 일이 아니다. 처음부터 정규직으로 자리를 잡아야 한다고 말하는 사람도 있고, 본인의 커리어를 생각해서 2년간은 어디서, 또 2년은 어디서 일하는 식의 경로관리를 하는 사람도 있다.

그 모든 것은 자유다.

그 자유 안에서 본인은 무엇인지 생각해보는 것이 어떨까 생각한다. 나 역시 짧은 기간에 이직을 하다가 현재 일하고 있는 곳에서는 8년째 일하고 있다. 일하는 이유는 여럿이 있지만 나는 내가 일하는 곳이 만들어진 법상(내가 일하는 곳은 「한국보건복지인력개발원법」에 의해 설립되고 운영되고 있다)역할을 고민하면 쉽게 이 기관을 떠나고 싶지는 않다.
노인장기요양과 관련한 공부를 하면 할수록 복지에 있어서 서비스 수준은 접점에 있는 사람의 실력(지식, 기술 태도)에 따라 얼마든지 달라질 수 있다는 것을 잘 이해하고 있기 때문이다. 그래서 이곳에서 업(業)으로 승부를 하고 싶다는 생각이 들고, 다른 곳에 가서도 그 업(業)과 유사한 일을 할 것이기 때문에 포기하고 싶은 생각이 없다.

뜻을 갖고 일을 할 수 있는 것. 일자리를 구하는 많은 이유 중에 큰 이유일 것이라 생각한다. 이 부분에 대한 고민을 하고 자기만의 기준을 갖고 있는 사람에게는 나머지 조건은 그리 결정하기 어려운 조건은 아니라고 생각한다. 당장 일자리를 얻어야 하는 사람만이 아니라, 2~3년 후에 일자리를 얻어야 하는 사람에게도, 지금 일을 하고 있는 사람에게도 필요한 고민이라 생각한다.

제3장 사회복지 일자리 현장사례

아무리 많은 자료와 아무리 많은 설명에도 한명이 그것을 이해하고 설명하는 것은 사실에 가치판단이 들어갈 수 있기 때문에 정확하지 않을 수 있다. 그래서 이번 장에서는 사회복지현장에서 실제 근무하는 분들에게 요청하여 그들이 어떤 일을 하고 있으며, 그 일을 위해 어떤 노력을 기울였는지에 대해 기록해본다.

법적인, 공식적인 일자리의 현황도 좋지만 현장의 목소리가 바로 들을 수 있는 것이 일자리를 구하는 입장에서 더 큰 도움이 될 수 있다고 생각한다.

현재 일하고 있는 사람들의 이야기를 통해 현장을 이해하고, 관련 협회의 일에 대한 정의나 법률을 찾아보고 판단이 된다면 좋겠다고 생각한다.

사회복지를 공부하면 갈 수 있는 일자리에 대해 정의한 기준에 따라서 최대한 섭외를 하고자 하였으나, 개인의 섭외력 등의 문제로 모든 분야를 소개하지는 못한다.

다만 사회복지를 공부한 사람으로서 사회복지사답게 일하고자 자신의 위치에서 최선을 다하시는 분들께 부탁하여 기술되었기 때문에 현장의 목소리가 사실적이고 담백하게 기술되었다고 생각한다.

아울러 소개하는 글에는 관련한 홈페이지와 정보들을 추가하여 그 업무에 대해 조금 더 이해를 할 수 있도록 돕고자 정보를 제공하고 있기 때문에 다소 부족한 부분이 있더라도 보완이 가능할 것으로 생각한다.

자살을 왜 할까 생각해 본적이 있다. 내가 생각하는 사람이 자살하는 이유는 하나이다. 꿈이 없기 때문이다. 돈도, 건강도 아닌 것 같다. 꿈, 희망이 없으면 삶을 마무리 하는 것이 아닐까? 꿈, 희망은 삶에 있어서 매우 중요하다. 그 꿈, 희망은 즐거움과 행복을 줄 수 있기 때문이다.

그 꿈은 시간에 따라 변화하기도 하지만 큰 흐름은 바뀌지 않는다고 생각한다. 꿈을 갖고 있는 사람의 삶은 다르다. 눈빛도 다르고 삶에 임하는 자세 또한 다르다.

주도적으로 살아가게 되는 이런 사람들을 나는 '삶을 살아가는 사람들'이라고 말하고 싶다. 업(業)에 대한 꿈을 갖고 살아가는 사람들, 이런 사람들의 삶을 보면서 주변에서도 많은 도전과 자극을 받기 마련이다.

반면 남이 정한 규칙에 따라, 남이 정한 목표를 달성하기 위해 본인의 삶을 고찰하지 않고 살아가는 사람들을 '삶이 살아지는 사람들'이라고 말하고 싶다. 살아가지만 품격 있는 인간의 삶이라고는 생각되어지지 않는다.

현장의 전문가로부터 받은 글 이지만, 모든 것을 설명할 수는 구조적으로 한계가 있다고 생각한다. 이에 보완하는 자료를 각 전문영역에 기입 해 뒀으니 꼭 관련협회나 관련 기관의 홈페이지를 찾아보고 국가법령정보센터(http://law.go.kr)를 통해 관련 법률도 찾아보면 좋겠다고 생각한다.

아울러 각 분야별 글에 더불어서 관련분야에 대한 소개가 된 책이나 자료들을 소개하니, 구체적인 내용은 소개되는 책을 구해서 읽어 본다면 훨씬 더 분야별 이해가 높아 질 것이다.

마지막으로 이 자료를 만들면서 한계가 있었던 부분이 모든 분야에 대한 섭외가 힘들었던 것이다. 기회가 되어 보완이 될 수 있다면 감사할 것 같은데, 현장의 전문가를 섭외하지 못한 경우가 많다.

또한 이 책의 취지를 듣고 늦은 밤까지 아는 지인들에게 부탁하여 본인이 하고 있는 사회복지사로서의 업무(業)을 사회복지를 공부하는 분들에게 잘 전해드리고자 알뜰한 마음을 담아서 글을 모아주시기도 했다. 그 귀한 글들을 하나도 빠짐없이 담고 싶은 마음에 분야에 따라 세분화되어 안내가 되었다.

이 책에 나온 분야가 이 책에서 구분한 분야가 사회복지를 공부하고 갈 수 있는 모든 일자리는 아니다. 이 점을 꼭 기억하며 이번 장을 읽어주면 좋겠다.

그럼 귀한 분들이 귀한 시간을 내 주셔서 소개된 사회복지를 공부한 사람들의 현장 사례를 소개한다.

1. 지역사회복지 관련 업무

□ 사회복지협의회

ㅇ 소속 : 00광역시사회복지협의회 사회복지사

ㅇ 하는 일

사회복지협의회에서 사회복지사는 사회복지에 관한 조사·연구 및 정책 개발과 건의, 사회복지 관련 기관·단체 간의 연계·협력·조정, 사회복지사업 종사자들에 대한 교육훈련은 물론 시민들에 대한 사회복지(관련) 교육, 사회복지 관련 자료수집 및 간행물 발간, 사회복지에 관한 계몽과 홍보, 사회복지분야 자원봉사활동 육성, 사회복지 소외계층 발굴 및 민간사회복지자원과의 연계·협력, 사회복지정보화 사업 등 각종 사회복지사업의 조성 등의 업무를 수행하고 있다.

또한 사회복지사업에 관한 기부문화의 조성이나 위의 사업들을 활성화하기 위하여 지역사회의 자원을 개발하여 연계하는 일, 사회복지사업 종사자의 복지 증진을 위한 일 역시 사회복지협의회에 근무하는 사회복지사의 일이기도 하다.

ㅇ 되는 길

- 교육 및 훈련 : 대다수의 사회복지 시설이나 기관, 단체들과는 달리, 사회복지사업 종사자들이나 그 일을 행하는 사회복지 관련 기관·단체, 나아가 일반 시민 등이 사회복지협의회의 실질적인 클라이언트(서비스 당사자)이기에 지역 사회복지현장과 그 현장의 종사자 전반에 대한 이해와 관심이 우선되어져야 할 것이다.

  그리고 그들이 주체가 되어 지역의 각 사회복지 현장에서 제 역할을 묵묵히 담당하고 지역의 사회복지 발전을 주도해 나갈 수 있도록 연계하여 조율하고 격려하며 네트워킹하는 지역의 복지 허브 또는 컨트롤타워의 역할을 수행해야 하므로 복지현장 그 누구보다도 각종 최신 복지 정보와 동향 등에 밝아야 한다.

또한 지역의 복지 현상과 아젠다를 분석해 내고 정책으로 개발하여 각종 조례 및 법령 등의 입안에도 기여할 수 있어야 하므로 사회조사 분석이나 정부나 지자체의 정책·행정 등의 시스템을 이해하고 대응하는 능력도 꾸준히 개발하는 것이 좋다.

- 필요(혹은 도움이 되는) 자격증 등 : 사회복지사 자격이나 1종 보통 운전면허 취득은 기본이고, 사회조사분석사 자격이나 MS-Office Master 등의 실무와 관련한 자격 취득도 업무에 많은 도움이 된다.

o 적성 및 흥미

사회복지 현장 어디에서나 해당되는 사항이겠지만, 인간에 대한 이해와 사회에 대한 전반적인 관심도가 결국 지역의 복지를 통찰하는데 도움이 되므로 사회전반에 대한 상식이나 교양, 인문학에 대한 폭넓은 관심과 탐구가 필요하다. 특별히 공감능력을 뛰어나고 진솔함으로 상대를 대하는데 출중한 분이라면, 사회복지현장간에는 물론 타 분야 관계자들과도 고루 교류하고 협업하여 지역 복지발전을 위한 융복합을 이끌어내는데 많은 도움을 주실 수 있을꺼라 사료된다.

o 취업을 준비하는 이에게 전하고 싶은 글

배우고 나누는데 주저함이 없었으면 좋겠다. 모르는 건 흠이 아니다. 모르는데도 묻지 아니하고 배우려 하지 않음이야말로 문제이다.

취업 전에도, 취업 후에도 언제고 항시 서비스 당사자에게, 현장의 동료에게, 선배에게, 후배에게 '걸언(乞言)'하는 자세를 가져주시길 바란다.

높은 학력만이 배움에 대한 갈증을 해소시켜주는 것은 아닙니다. 일상에서 배우려 하고, 동료에게서 배우려 노력하길 바란다. 그러기 위해선 우선적으로 상대를 존중해야 하고 자신을 낮추는 것부터 시작해야 할 것이다. 내려다보려 하면 보이지 않던 것들이 어느새 눈이 들어오고 귀에 자연스레 전해져 올 것이다.

한 순간도 허투루 대하지 마시고 최선을 다해 지금 이 시간을, 지금 여러분 앞의 누군가에게 최선을 다해보길 바란다. 지금 하고 있는 연애든, 공부든, 무슨 일이든 간에...

한국사회복지협의회(http://kncsw.bokji.net)

한국사회복지협의회는 사회복지사업법에 의거, 설립된 사회복지 공익법인으로서, 민간 사회복지 증진을 위한 협의조정, 정책개발, 조사연구, 교육훈련, 자원봉사활동의 진흥, 정보화 사업, 사회적 취약계층을 위한 사업수행 한다.

「사회복지사업법」에 근거하여 설립되었으며, 민간사회복지기관 중 유일한 기타공공기관으로서, 보건복지부의 주요 복지정책에 대한 시행위탁기관으로 정부의 사회복지사업을 뒷받침하는 조사연구, 교유훈련, 사회복지 조성 등의 고유목적사업 등 공공사회복지 증진 업무를 효과적으로 수행하며, 정부정책과 민간사업의 연계협력을 조성하는 전달자 및 중재자 역할 수행(민관 가교 역할 수행)한다.

사회복지사업법 제33조(사회복지협의회)
사회복지사업법시행령 제12조(한국사회복지협의회 등의 업무)
[사회복지사업법 제33조]
"사회복지에 관한 다음 각 호의 업무를 수행하기 위하여 전국 단위의 한국사회복지협의회와 시 · 도 사회복지협의회를 두며, 필요한 경우에는 시 · 군 · 구 단위의 시 · 군 · 구 사회복지협의회를 둘 수 있다.

2. 사회복지관

□ 종합사회복지관

ㅇ 소속 : 00광역시 00구종합사회복지관 사회복지사

ㅇ 하는 일

일반적으로 종합복지관은 사례관리, 지역조직, 서비스제공, 이렇게 세 가지 영역으로 구분된다.

사례관리는 상담 사업을 중심으로 내담자들의 심리정서적인 접근을 통해 서비스를 제공하고자 하는 사업들이 진행된다. 대표적인 예로 가사말벗서비스, 밑반찬지원서비스 등의 지역사회보호사업 등이 속한다.

지역조직은 복지관이 위치하고 있는 지역의 문제와 지역주민의 욕구가 반영된 사업들이 진행된다. 최근 들어 '마을공동체'의 개념이 확산되어 지역문화형성을 위한 사업 역시 진행이 되고 있다.

서비스 제공은 지역주민들의 욕구에 부합하는 다양한 서비스가 중심이 되는 영역으로 평생교육욕구 해소를 위한 다양한 교육문화사업, 대상자별(다문화가족·조손가족 등) 욕구에 부합하는 서비스 제공 등이 이루어지고 있다.

ㅇ 되는 길

- 교육 및 훈련 : '종합복지관'을 다른 말로 표현하는 것이 '지역사회복지관'이라는 말이 있다. 다른 말로 설명하면 지역 안에 위치하며, 지역의 특성과 지역주민들의 욕구에 부합하는 사회복지서비스를 제공하는 곳이라고 설명을 할 수 있다. 그렇다면 결국 종합복지관에 일하기 위해서는 복지관이 속해 있는 지역에 대한 이해가 가장 우선적으로 이루어져야 한다. 특히나 지역이 어떻게 변화하고 있는지 즉, 그 지역의 역사적 변화를 아는 것이 가장 중요하다.
- 필요(혹은 도움이 되는) 자격증 등 : 종합복지관을 예로 들어보자

면 사례관리의 경우 학부생들에게는 개방이 되고 있지 않지만, 우선은 가장 중요한 교육이 한국사례관리학회와 한국사회복지사협회에서 연계하여 진행을 하고 있는 '사례관리 전문가 양성과정'이 있다.

꼭 이 과정이 아니더라도 사례관리와 관련된 상담기법 혹은 이론 교육 등을 이수하는 것이 가장 좋다. 지역조직의 경우 사례관리와 마찬가지로 상담기법에 대한 공부를 하는 것이 좋은데, 사례관리가 내담자의 심리적인 요소까지 배우는 상담기법이라면 지역조직은 지역주민들의 욕구를 파악하고 그것을 명확하게 정리할 수 있는 교육을 배우는 것이 좋다.

사례관리가 일반적으로 받아들여지는 '상담'의 범주라면 지역조직은 '인터뷰'의 수준이라고 생각하시면 좋을 것 같다. 여기에 한 가지 추가하자면 사례관리와 지역조직이 별개가 아니라는 것이다. 사례관리를 하면서도 지역조직화 기법을 활용하여 서비스를 제공할 수 있으며, 지역조직을 하더라도 사례관리 대상자로 발굴을 하는 등 둘 사이의 긴밀한 관계를 잊지 않는 것이 중요하다.

o 적성 및 흥미

특별히 맞는 적성이 있을까 하는 생각이 들지만, 한 가지 확실한 것은 사회복지를 즐겁게 할 수 있는, 신념을 가지고 즐겁게 하겠다는 마음을 먹은 사람이라면 누구든지 일을 할 수 있는 곳이 종합복지관이 아닐까 한다.

여기에 더해 현재 일어나고 있는 사회적 문제들이 개인의 차원을 넘어서는 것이 많다. 청년실업, 노인 고독사 등 개인의 역량만으로는 해결이 될 수 없는 것들이 많다. 결국 사회가 공동으로 해결해야 하는 일들이 점차 증가하고 있는 것이다. 그렇다면 내담자의 심리를 파고드는 것도 중요하지만 사회행동, 사회운동 등의 영역에도 관심을 가지면 좋을 것 같다.

ㅇ 취업을 준비하는 이에게 전하고 싶은 글

흔히 사회복지 업무에 있어서 '사회복지 업무의 꽃은 종합복지관이다'라고 한다. 그런데 종합복지관이 꽃이 아니라, 그 복지관에 와서 일을 하는 사람들이 꽃이다.

사회복지를 재미있게, 뜻있게 하고자 하는 분들에게는 종합복지관뿐만 아니라 사회복지와 관련된 모든 분야에서 즐겁게 일을 하실 수 있을 것이다. 무엇보다 '내가 사회복지를 직업으로 가지면 정말 행복할까?'에 대한 답을 먼저 찾고 나서 사회복지를 즐겁게 하시는 분들이 되었으면 한다.

한국사회복지관협회(http://kaswc.or.kr)

1989년에 설립되어 전국 사회복지관의 육성과 균형발전을 기하고 사업수행에 다른 지식, 기술, 정보교류와 시범사업의 개발을 통해 사회복지관 운영의 내실을 기함으로써 저소득층 및 지역사회 주민의 복지증진에 기여함을 목적으로 한다.

사회복지관은 사회복지서비스 욕구를 가지고 있는 모든 지역사회 주민을 대상으로 보호서비스, 재가복지서비스, 자립능력 배양을 위한 교육훈련 등 그들이 필요로 하는 복지서비스를 제공하고, 가족기능 강화 및 주민상호간 연대감 조성을 통한 각종 지역사회문제를 예방,치료하는 종합적인 복지서비스 전달기구로서 지역사회 주민의 복지증진을 위한 중심적 역할을 수행한다(출처 : 한국사회복지관협회 홈페이지).

< 도움이 되는 책 추천 >

공감링크

대전 지역복지 사례집

김경민, 김승우, 김영남, 방수인, 백수정, 손지나, 이기수, 이지혜, 이현기 저, 푸른복지출판사, 2017

지역의 복지관에서 지역조직화를 실천한 사례를 모은 책으로, 대전지역의 여러 사회복지관의 사회복지사(지역조직팀)분들의 실무사례가 잘 정리된 책.

종합사회복지관, 특히나 지역조직화사업이 어떠한 과정을 거쳐서 이루어 지고 있는지를 자헤하게 알아 볼 수 있으며 이를 통해 지역사회복지관 지역조직화사업의 업무에 대해 폭넓게 이해 할 수 있다.

저자의 근무처 소개

김경민 (유성구종합사회복지관) 김승우 (대전종합사회복지관)
김영남 (한밭종합사회복지관) 방수인 (보문종합사회복지관)
백수정 (대전종합사회복지관) 손지나 ((전)대전기독교종합사회복지관)
이기수 (중촌사회복지관) 이지혜 (보문종합사회복지관)
이현기 (대전기독교종합사회복지관)

지역복지관 지역조직팀에서 근무하고 계시는 사회복지사들의 경험이 녹아있는 책으로 지역조직화 사업의 전체적인 흐름과 담당자로서의 고민지점 등을 알 수 있는 책이다.

< 도움이 되는 책 추천 >

함께라면

부산 사회복지사의 주민조직 이야기

권대교, 김지현, 김천수, 김혜운, 남만석, 류우진, 이수경, 한종훈, 한현주 저, 푸른복지출판사, 2016

지역의 복지관에서 사회복지를 실천한 사례를 모은 책으로, 부산지역의 여러 사회복지관의 사회복지사분들의 실무사례가 잘 정리된 책.

다양한 사회복지관이 있지만 결국 현장은 지역이고, 사업도 지역 안에서 이뤄지게 되는 과정을 자세하게 알아 볼 수 있으며 이를 통해 사회복지관에서 사회복지사의 업무에 대해 폭넓게 이해 할 수 있다.

저자의 근무처 소개

권대교 (부산기독교종합사회복지관) 김지현 (화명종합사회복지관)
김천수 (홀트수영종합사회복지관) 김혜운 (운봉종합사회복지관)
남만석 (용호종합사회복지관) 류우진 (두송종합사회복지관)
이수경 (동래구노인복지관) 한종훈 (부산진구종합사회복지관)
한현주 (모라종합사회복지관)

지역의 복지관에서 근무하고 계시는 사회복지사들에게도 추천이 되는 책으로 대상자 관점으로 지역을 바라보면 결국 함께 일하는 것이 올바름을 추구하는 보다 쉬운 방법이라는 것을 알 수 있을 것이다. 이에 대한 실무사례를 기록하는 작업이 이어진다면 더욱 보람있는 것이라고 생각하며, 그것을 나누며 개선하는 것 또한 같은 의미가 있는 것으로 생각된다.

□ 노인종합복지관 1

ㅇ 소속 : 대전광역시 00노인복지관 사회복지사

ㅇ 하는 일

노인복지관 사회복지사는 홍보마케팅, 후원, 자원봉사사업, 사례관리, 이용 및 전문상담(법률, 건강, 심리,세무 등), 사회교육(노인대학), 노인일자리사업, 경로당활성화사업, 재가복지, 지역노인을 위한 경로행사, 경로식당운영, 복리후생(이미용, 물리치료 등), 노인돌봄기본 · 종합서비스사업, 장기요양서비스, 응급안전돌봄서비스, 독거노인친구만들기(고독사 및 우울예방), 그 외 특화사업을 담당하여 수행하고 있다.

ㅇ 되는 길

- 교육 및 훈련 : 노인복지관은 종합복지관의 노인영역 부분에 좀 더 세분화 되어 있어 다양하고 전문적인 노인복지프로그램을 개발이 필요하다.
  이에 노인관련 이슈 및 제도에 관심을 가지고 꾸준히 공부하는 것이 필요 하다(노인고독사, 치매 등등). 또한 노인복지관의 경우 전담인력(노인일자리 등) 및 유급자원봉사자(사례관리 등) 근무경험을 통해 현장을 배우고 익힐 수 있는 기회가 있어 이를 활용하는 방법도 있다.

- 필요(혹은 도움이 되는) 자격증 등 : 노인복지관의 경우 사회복지사가 직접 송영서비스를 제공 하는 경우가 많아 필수적으로 운전면허증이 필요하며 실제 운전 가능자가 유리하다. 사업에 필요한 이동수단으로 승합차를 많이 이용하여 1종 보통 운전면허증이 유리함.
  또한 상담관련 자격증과 행정업무에 필요한 자격증(컴퓨터 관련 등)이 있으면 실무를 수행하는데 더욱 도움이 될 수 있다.

ㅇ 적성 및 흥미

투철한 소명의식을 갖추고 충분한 전문지식을 바탕으로 사명감이 있어야 사회복지사로 활동 할 수 있다. 상대적으로 사람들과 대면하는 일이 많은 사회복지사는 사교적이고, 이해심이 있으며 사회성이 요구된다. 대상자에 대한 진실성과 책임감도 필요하며 대상자를 선정하는데 있어 판단력 역시 필요한 부분이다. 또한 새로운 것을 발견하고 적용하는 등 다양한 분야에 관심을 가지는 것 역시 필요하다.

ㅇ 취업을 준비하는 이에게 전하고 싶은 글

사회복지 분야가 항상 전망 있는 직업 중 하나로 뽑히지만 결코 만만하게 생각해서는 안된다. 앞에서도 언급했듯이 사회복지 일은 사명감 없이 할 수 없는 일 중 하나이다.

사회복지 분야에 일을 하고 싶다면 정말로 충분히 생각하고 내가 잘 버틸 자신이 있는지 사회복지사 마인드를 다잡고 뛰어들 수 있기를 바란다.

한국노인종합사회복지관(http://kaswcs.or.kr)

노인복지증진을 위해 노인복지법에 의해 설치된 전국노인복지관의 육성과 균형발전을 위한 제반 사업을 수행하여 노인종합복지관운영의 내실을 기함으로써 노인복지 증진에 기여함을 목적으로 함.

주요업무는 ①노인종합복지관 상호간 운영경험 및 정보의 교류, ②노인종합복지관 운영에 관한 정책개발·조사·연구 및 세미나 개최, ③노인종합보기관 사업 프로그램 개발·보급, ④노인종합복지관 종사자 교육훈련 및 권익증대사업, ⑤노인종합복지관 사업의 대 국민 계몽 및 출판·홍보, ⑥노인일자리, 노인학대상담 등 기타 노인복지를 위해 필요한 사업(출처: 한국노인종합사회복지관 홈페이지).

□ 노인종합복지관 2

ㅇ **소속** : 경기도 00시00노인복지관 사회복지사

ㅇ **하는 일**

경기도가 지원하고 한국노인종합복지관협회가 위탁·운영하는 노인전문상담기관인 '노인종합상담센터'의 전문상담을 맡아 일하고 있다.

노인종합상담센터는 경기도 내 56개 노인복지기관에 자리하고 있으며, 우울 및 자살·치매·학대·가족갈등·성(性) 등 지역사회 어르신들의 다양한 욕구를 파악하고 접근하여 심리사회적으로 어려움을 덜어드리는 역할을 하고 있다. 또한 상담뿐만 아니라 지역주민들과 어르신들을 대상으로 노인전문교육(우울, 치매, 학대 및 생명존중)을 지원하고, 지역사회 홍보활동을 통해 건강한 지역사회를 만들기 위해 노력하고 있다.

ㅇ **되는 길**

- 교육 및 훈련 : 먼저 지역사회의 특성 및 여건에 대해 파악하는 것이 중요하다. 지역사회 환경에 따라 노인의 경제력, 주거생활환경이 큰 차이가 있으며, 사업수행에 큰 영향을 미치기도 한다.

  심리 정서적으로 어려움을 겪고 있는 어르신들을 대상으로 상담을 진행하는 업무이니 만큼, 노인에 대한 이해와 상담기술능력을 높이는 것이 중요하며, 실무자로서 지속적인 기초교육·전문교육·보수교육을 참여함으로써 자기계발을 하는 것이 업무능력을 향상시키는 것에 많은 도움이 된다.

- 필요(혹은 도움이 되는) 자격증 등 : 사회복지사 자격증은 필수이며 노인상담사 또는 전문심리상담 자격을 갖는 것이 중요하다. 이러한 자격은 내담자와의 전문상담을 위한 상담기술능력이

요구된다. 또한 행정업무가 요구되는 직업인만큼 컴퓨터 관련 자격증을 취득하는 것이 좋다.

o 적성 및 흥미

다양한 사람을 만나라!

사회복지 현장에 있는 다양한 사회복지사들을 만나고 교류하는 것에 흥미를 가지길 바란다! 나는 학부시절 '독립사회복지사'라는 사회복지 스터디를 했었다. 학부생 및 현장사회복지사들이 구성되어 전문지식과 생각을 나눔으로써 사회복지사로서의 가치를 쉽게 이해하게 되었던 것 같다.

이와 같은 만남과 공부는 현장실무자라면 꼭 필요할 것이라고 생각된다. 상사의 피드백과 수퍼비전으로도 충분히 현장을 이해하고 성장할 수 있지만, 다양한 분야의 전문가들을 많이 접하고 관계하는 것은 넓은 견문을 갖춘 사회복지전문가로서 성장 할 수 있지 않을까 생각된다.

o 취업을 준비하는 이에게 전하고 싶은 글

다양한 경험을 많이 접해보길 바란다. 그것이 여행이 되어도 좋고, 공부여도 좋고, 사랑이어도 좋다. 자신이 접한 환경 안에서 맺어지는 관계는 자신이 몰랐던 '나'를 찾기도 한다.

하루는 미친 듯이 놀기만 해도 거기서 생각과 깨달음을 얻는다면 그것 또한 배움이 되지 않을까? 지치지마라. 그리고 모든 일에 감사하는 마음을 갖기를 바란다.

< 도움이 되는 책 추천 >

탐라마을 사람살이

함께 살수록 함께 나눌수록 행복했던 복지현장 이야기

고한철 저, 푸른복지출판사, 2016

주거환경개선사업에 대한 이야기를 시작으로 지방의 지역에 특히 많은 어르신들과의 사회복지이야기가 많이 담겨있는 책이다.

어르신들과 함께 나누며 지역의 다양한 분야와 사람들과 협업(읍면동 주민센터 및 자원봉사자 등)하여 사회복지를 실천하는 내용이 담겨져 있다.
주된 내용은 다음과 같다.
「주거환경개선사업 현장 이야기, 봉사단과의 인연, 이도2동 주민센터와 함께한 고○○ 어르신 주거환경개선, 시각장애가 있는 강○○ 어르신 댁의 지붕 환경개선, 사회복지협의회와 함께한 고○○ 어르신 댁의 주거환경개선, 작은 일에 감사를 나눈 김○○씨, 이동목욕과 함께한 윤○○ 어르신의 주거환경개선, 일류대학 출신이라는 어르신의 주거환경개선, 이도2동 주민센터와 협업, 한동네 주민들과 함께.., 김장나눔 사업 현장 이야기, 마을 안에서 함께한 김장나눔 이야기, 한림읍 여성장애인과 어르신들의 김장김치 나눔 이야기, 협업을 위한 업무협약, 제주시 동주민센터와의 협업을 위한 협약, 제주시 동주민센터, 종합사회복지관과의 협업을 위한 협약, 서귀포시청 희망복지지원계 협업 한번 합시다!!!」

지역의 필요(want)를 걸언(乞言)하여, 필요(need)를 판단하고 지역안의 자원을 최대한 활용하여 연계하고 새롭게 만들어 낼 수 있는 사회복지를 실천한 이야기가 담겨져 있다.

□ 청소년수련관

ㅇ 소속 : 00시청소년수련관 진로활동팀장

ㅇ 하는 일

청소년수련관에서 근무하는 사회복지사는 청소년활동을 담당한다. 청소년기본법에서는 '청소년활동이란 청소년의 균형 있는 성장을 위하여 필요한 활동과 이러한 활동을 소재로 하는 수련활동 · 교류활동 · 문화활동 등 다양한 형태의 활동'이라고 정의한다.

국가직무표준 NCS는 청소년활동을 '청소년사업을 기획하고 홍보하며, 청소년프로그램을 개발하고 적용하며 평가하는 일련의 과정을 말하며, 자원관리, 인증관리, 행정관리, 네트워크관리, 정보관리 등을 통하여 이를 효율적으로 지원한다'라고 직무 정의하고 다.

쉽게 설명하면 토요일에 근무하는 경우가 매우 많은 사회복지사를 말한다. 대한민국의 대부분의 청소년은 학교에 재학 중인 학생이며 학생에게 있어서 스스로 선택, 활용 가능한 시간은 토요일이 유일하다. 일요일은 종교 활동과 휴식을 취하는 경우가 많으므로 토요일이 유일하다.

청소년과 함께하는 사회복지사는 대부분 토요일을 평일처럼 근무한다. 필요에 따라 일요일과 공휴일에 일하며 여름방학, 겨울방학 기간 또한 바쁘게 업무를 진행하는 경우가 많다.

ㅇ 되는 길

- 교육 및 훈련 : 청소년수련관은 보건복지부 관리감독을 받는 것이 아닌 여성가족부 관리감독을 받는다. 사회복지사 자격증을 인정하지만 우선하는 자격증은 청소년지도사 자격증이다. 청소년활동과 관련하여 종사하고자 한다면 청소년지도사 자격

증이 필요하며, 청소년상담과 관련한 부분에서 종사하고 싶다면 청소년상담사 자격증이 별도로 존재한다(www.q-net.or.kr Q-Net 메뉴중 전문자격시험 메뉴 내에 청소년지도사, 청소년상담사).

청소년활동과 관련한 전문적인 연수는 청소년지도사 종합정보시스템(http://yworker.youth.go.kr 연수소개 전문연수) 및 각 청소년수련관 기관별로 실습, 인턴쉽, 자원봉사프로그램을 진행하는 경우가 존재하므로 본인이 취업하고자 하는 지역의 기관의 홈페이지 및 SNS를 검색하거나 사전에 전화통화 후 기관을 방문하여 인터뷰 해보는 것을 제안한다. 지역주민의 한사람으로 자연스럽게 방문하여 살펴보는 것도 가능하다.

- 필요(혹은 도움이 되는) 자격증 등 : 민간에서 발급하는 자격증보다는 정부에서 발급하는 자격증을 소지하는 것을 추천한다. 실제적으로 업무에 활용가능한 자격증을 취득하기를 바란다. 상담관련 자격증이 있는데 상담도 못하고 레크리에이션 자격증이 있는데 레크리에이션 진행이 안 되면 소용이 없다.

  평생교육사 2급, 사회조사분석사 2급, 직업상담사 2급, 컴퓨터활용능력 2급 자격증을 추천한다. 가장 우선하는 자격증은 청소년지도사 2급 또는 3급이다.

o 적성 및 흥미

"청소년과 하고 싶은 것이 무엇이냐?"는 것이 중요하다. 조직에서 개인에게 업무를 부여하고 그 업무를 수행하지만 담당자 본인의 역량과 성향이 중요하다. 반복적으로 동일하게 업무를 진행하는 것이 아닌 청소년의 변화와 사회의 변화를 읽어내고 그것에 부합하게 새로운 것을 만들어내고 시도하는 호기심과 도전정신, 열정이 요구된다.

청소년에게 영향을 미치는 교사, 학부모, 지역사회와도 소통 가능하고 전문가로 인정받기 위해서는 다양한 세대를 아우를 수 있는 문화적 소양과 대화 기술을 갖추어야 하며 청소년에게 뒤지지 않는 체력과 감각이 요구된다.

ㅇ 취업을 준비하는 이에게 전하고 싶은 글

청소년수련관, 청소년문화의집, 청소년상담복지센터, 청소년성문화센터, 청소년쉼터, 청소년수련원 등 다양한 기관이 있다. 청소년 시설의 종사경력은 사회복지기관 종사경력으로 인정받지 못할 수 있다. 본인의 경력관리와 관련 심사숙고하기 바란다.

사회복지학과를 진학한 것이 본인의 의지가 아닐 수 있다. 내신 등급과 수능시험 점수에 맞추어 사회복지사가 유망하다하고 주변에서 권유해서 여러 학교와 여러 학과에 지원하다 입학했을 수 있습니다. 제발 취업만큼은 본인이 원하는 분야를 정확히 계획하고 준비해서 입사했으면 한다.

사회복지사가 불행하면 대상자(dient)의 행복을 지원할 수 없다. "최소한 청소년들에게 나 처럼은(행복하게 않게) 되지마!"가 아닌 "나만큼(행복하게)은 되 바!" 할 수 있었으면 한다.

청소년수련시설(http://www.youthnet.or.kr)

청소년수련시설은 지역을 거점으로 청소년들이 지역(마을)에서 행복하게 성장하고 자신의 미래를 당당하게 준비할 수 있도록 지원하는 청소년 전용시설입니다. 2005년부터 청소년수련관, 청소년수련원, 청소년문화의집, 청소년특화시설, 청소년야영장, 유스호스텔로 구분청소년수련시설은 기능이나 수련활동 및 입지적 여건 등에 따라 다양한 유형으로 구분된다. 이전에는 생활권 수련시설(청소년수련관, 청소년문화의집), 자연권 수련시설(청소년수련원, 청소년야영장), 그리고 유스호스텔로 구분되어 왔으나 2005년부터는 청소년수련관, 청소년수련원, 청소년문화의집, 청소년특화시설, 청소년야영장, 유스호스텔로 구분합니다.(출처: 청소년수련시설포털 홈페이지 참조)

< 도움이 되는 책 추천 >

괜찮아, 꿈이 있으면 길을 잃지 않아

인생의 골든타임을 지켜낸 10대들의 리얼스토리

백수연 저, 보랏빛소, 2015

인생의 골든타임을 지켜낸 10대들의 리얼스토리!

방황하는 청소년과, 아이들을 사랑하는 모든 어른들이 반드시 읽어야 할 책!

"왜 엄마가 내 인생을 결정해?" "어떡하죠? 대학에서 떨어졌어요." "내 꿈은 도대체 뭘까?" "부모님이 이혼하신대요." "다들 왜 나만 미워해?" ……
말도 많고 탈도 많은 대한민국의 10대. 아직 무엇을 책임질 만큼 성숙하지도, 누군가의 통제에 고분고분 따를 만큼 어리지도 않은 청소년들에게 세상은 그저 험난하기만 하다. 이런 아이들의 거칠고도 고독한 삶 속으로 직접 뛰어들어 그들을 어루만져온 청소년 지도사가 우리 아이들의 진짜 속마음이 담긴 책, 《괜찮아, 꿈이 있으면 길을 잃지 않아》를 출간했다.

인생의 황금기, 10대라는 골든타임을 지켜낸 37명의 아이들이 학업과 진로, 인간관계 등 실제로 머리를 싸매고 했던 고민과 그 해결방안을 공개한다. 청소년의 꿈 멘토를 자청한 저자의 다정한 멘토링과 꿀팁, 명사의 명언 등 풍성하고 알찬 구성이 돋보인다. 한 명 한 명의 이야기를 통해 때로는 안타까워하고, 때로는 공감하며 꿈 앞에 지친 수많은 청소년에게 위로가 되어줄 선물 같은 책이다(출처: 예스24 서평).

□ 자원봉사센터

ㅇ 소속 : 00군자원봉사센터 사무국장

ㅇ 하는 일

자원봉사센터는 지역자원봉사활동의 구심체로서 자원봉사를 필요한 곳에 연결해주는 가장 기본적인 것에서부터 시작된다. 자원봉사를 필요로 하는 수요처에 연결해주고, 자원봉사자들이 지속적이면서도 전문적인 봉사활동을 이끌어낼 수 있는 다양한 프로그램을 개발하여 환경을 조성해주는 기관이다.

또한 공공의 자원으로 해결하지 못하는 지역주민의 욕구에 대해 자원봉사를 활용하여 지역문제를 해결하는 지역과 주민의 허브와 같은 기관이라 할 수 있다.

ㅇ 되는 길

- 교육 및 훈련 : 자원봉사 분야는 사회복지영역을 넘어 시민운동 분야로서의 역할을 해 낼 수 있어야 한다. 보건, 환경, 방범, 문화, 지역사회 등 다양한 사회현상에 대한 이해가 우선 요구되며, 특히 공동체 활동성 활동도 많기 때문에 복지뿐 아니라 다양한 사회활동에 대한 이해가 필요하다. 특히 공동체활동, 교통, 환경 분야 등 현재 대두되고 있는 사회문제를 해결하려는 시각이 필요하다.

  또한 마을 단위의 사업들이 이루어지고, 지역 자원을 활용해야하는 사업들이 있어 지역에 대한 이해가 많이 필요하다. 자신이 일하고 싶은 지역의 이해(특성, 자원, 지리적여건 등)가 선행되어야 한다.

- 필요(혹은 도움이 되는) 자격증 등 : 공공기관으로서 기본적인 행정업무를 위한 문서작업능력이 중요하며, 무엇보다 자원원봉사활동의 연계 과정에서 오는 협의·조정 능력과 봉사자들을

교육하고 안내하기 위한 발표능력이 필요하다.

ㅇ 적성 및 흥미

사람과의 만남을 즐거이 하는 사람, 혼자가 아닌 함께하는 일에 즐거움을 느끼는 사람이라면 적성에 맞는다고 생각한다. 지역사회의 문제점을 찾아내 자원봉사 활동과 함께 해결해 나가는 일련의 과정을 통해 변화하는 지역사회를 경험할 때 흥미와 보람을 느낄 수 있을 것이다.

ㅇ 취업을 준비하는 이에게 전하고 싶은 글

사회복지! 라고 생각하면 어떤 분야에 가야하나? 아동? 청소년? 노인? 장애인? 등등의 특정 분야에 관심을 갖고 준비하는 학생들이 많이 있는데 분야를 정하지 못한 학생들은 많은 고민이 있을 것이라 생각한다. 자원봉사센터는 마을, 지역사회에 포함되어 있는 모든 구성원들을 아우르고 그 안에서 일어나는 일들을 자원봉사를 통해 해결하고자 하는 시민사회적 성격이 강한 기관이다. 특정 분야가 아닌 지역에 대한 고민을 하고 있는 사람이라면 자원봉사센터가 적합하다고 생각한다.

자원봉사센터(http://www.kfvc.or.kr)

'자원봉사센터'는 자원봉사활동, 개발, 장려, 연계, 협력 등의 사업을 수행하기 위하여 법령과 조례 등에 의하여 설치된 기관, 법인, 단체(「자원봉사활동기본법제3조」)를 말함. 중앙자원봉사센터와 광역자원봉사센터(특별시, 광역시, 도) 그리고 기초자원봉사센터(시,군,자치구)로 구분되며 각각의 역할이 나뉘어져 있다.(출처: 한국자원봉사센터협회 홈페이지 참조).

자원봉사는 사회복지업무를 몸에 비유한다면 혈액과 같은 역할을 한다고 생각한다. 활발한 활동은 사회 곳곳에 사회복지업무를 수행할 수 있게끔해주며, 이를 통해 지역복지의 활성화와 재정적으로도 매우 큰 효과를 갖을 수 있기 때문이라고 생각한다.

3. 사회복지서비스

ㅇ 소속 : 0000주간보호센터 사회복지사

ㅇ 하는 일

입소자에 대한 생활관리, 생활지도, 인지 및 신체프로그램 지원, 교육지원, 개별 상담, 가족상담, 사례관리, 지역사회 자원연계, 행정, 회계, 자원봉사 업무 등을 수행한다. 사회복지실천을 위해 후원자와 자원봉사자를 모집하고 이들과 파트너십을 맺어 함께 일하고 있다.

ㅇ 되는 길

- 교육 및 훈련 : 사회복지 중 특히 노인복지 관련 기본 지식 및 상식을 수업 및 꾸준한 자원봉사활동을 통해 습득을 한다. 또한 지역사회에서 활동하는 업무이니 만큼, 지역에 대한 이해가 필요하다. 이를 위해서 채용되고자 하는 지역에서 자원봉사 등의 활동을 하는 것을 추천한다.

- 필요(혹은 도움이 되는) 자격증 등 : 노인을 대상으로 프로그램을 진행할 때 도움이 되는 이용자 특성(노인)을 감안한 레크레이션 관련 자격, 이용시설 대상자의 대부분이 치매를 앓고 있어 적절한 대처 및 실행을 위한 치매 관련 자격, 노인의 보건 및 건강상태를 보다 전문적으로 알 수 있는 노인요양 관련 자격, 대상자와의 상담 등의 시간이 필요하기에 상담에 대한 기술들을 습득하고 기본적인 행정업무의 효율적으로 하기 위한 전산 관련 자격증을 취득하는 것이 필요하다.

ㅇ 적성 및 흥미

기본적으로 노인과 노인의 가족들을 대하기에 보다 내향적이면서 밝은 성격을 가지고 있으며 노인을 대함에 있어 거부감이 없고 매사 어르신들과 함께 대화하고 생활하고 추억을 쌓는다는 생각이 충만하고 행동으로 실천을 한다면 적성에 상관없이 업무를 수행하는데 있어 큰 무리가 없을 것이다.

ㅇ 취업을 준비하는 이에게 전하고 싶은 글

사회복지의 중요성에 따라 여러 복지정책과 복지시설이 개정되고 주목을 받고 있다. 그 중에서 주간보호센터에 취업을 준비하고 있다면 좋은 선택을 했다고 말하고 싶다. 더불어 노인복지에 관심이 있고 비전을 두신다면 더 없이 좋은 일자리라는 생각한다.

노인의 행동부터 시작하여 생태, 건강, 이에 따른 행정 그리고 요즘 이슈가 되고 있는 치매에 이르기 까지 노인복지의 많은 것에 대해 경험하고 공부 할 수 있고 이것들을 토대로 장래에는 노인복지 관련 일을 할 수 있는 훌륭한 경력이 될 것이다. 다르게는 직접 주간보호센터를 직접 운영할 수 있는 준비까지 원활하게 할 수 있는 곳인 것 같다.

무한경쟁 사회인 요즘 앞 세대를 먼저 살아온 어르신들에게 배우고 보살피며 경쟁보다는 화합 그리고 정이 무엇인지 일깨워주는 일자리라고 감히 말하고 싶다.

< 도움이 되는 책 추천 >

월평빌라 이야기

시설사회사업사례집

박시현 저, 푸른복지출판사, 2011

입주자가 자기 삶의 주인으로 또한 지역주민·시민으로 살아가는 이야기, 지역사회가 장애인과 더불어 살아가는 이야기, 그렇게 주선하고 거드는 월평빌라 이야기.

월평빌라에서 지키려 하는 사회사업 핵심가치는 「당사자의 자주성과 지역사회의 공생성」이다. "사람을 사람답게 하고 사회를 사회답게 하는 가치, 그 중에서도 사회사업이 감당할 수 있는 가치, 사회사업이 지키고 살려야 할 핵심 가치는 바로 당사자의 자주성과 지역사회의 공생성이다.

자기 삶의 주체로 사는 인격적 존재, 관계·소통하며 더불어 사는 사회적 존재, 사람을 이런 존재로 보기 때문이다. 저마다 제 마당 제 삶터에서 서로 도우며 남녀노소 빈부강약이 어우러져 사는 공동체, 이런 사회를 사회다운 사회로 보기 때문입니다." 「복지요결」 사회사업 핵심 가치 편.

이 책은 중증장애인요양시설 월평빌라를 준비하면서부터 지금까지, 핵심 가치인 「당사자의 자주성과 지역사회의 공생성」을 공부하고 궁리하고 적용한 내용입니다. 그 가치가 입주자들의 삶과 지역사회 곳곳에, 그리고 직원들의 수고와 글에 잘 녹아있다(출처: 푸른복지출판사 블로그).

시설의 사회복지사업을 어떠한 관점으로 해야 할까? 그 방법과 실천 기록이 담겨져 있는 책이다.

4. 보건의료서비스

□ **병원 1**(의료사회복지사)

o 소속 : 000병원·000어린이의원 사회공헌팀 의료사회복지파트

o 하는 일

의료사회복지사는 환자와 가족의 진료과정에서 발생되는 심리사회적·가족적·경제적·사회복귀적인 문제를 해결하기 위해 인적·물적·제도적인 자원을 활용하여 협력활동을 지원한다. 개인력·사회력 조사를 기반으로 환자와 가족 면담, 개별·집단프로그램 및 교육지원, 사회적 자원의 연계를 통해 병원생활의 적응과 퇴원 시 사후지도 등의 전문사회복지 서비스를 지원한다.

o 되는 길

- 교육 및 훈련 : 의료영역에서 사회복지분야를 활용해야하므로 의료사회복지 현장실습과 자원봉사가 선행되어야 하고 의료사회복지수련을 통해 전반적인 이론적 지식과 사례관리에 필요한 전문적 기술을 습득해야한다. 1급 사회복지사 자격을 취득하고 1년간 임상수련을 통해 대한의료사회복지사협회[7]에서 시행하는 40시간의 이론교육과 960시간이상의 임상영역별 수련과 함께 사정 16사례, 개입 15사례(총 30사례), 프로그램 기획 및 진행 보고서를 제출해야하고, 수련 이수 후 의료사회복지사자격시험에 응시하여 의료사회복지사자격증을 취득할 수 있다.
- 필요(혹은 도움이 되는) 자격증 등 : 환자와 가족의 면담이 기본으로 수행되어야 하기 때문에 상담에 관련된 기술이 있다면 더 용이할 수 있고, 프로포절(proposal)을 통해 타 협력기관과의 사업 수행을 위해서는 계획과 진행에 필요한 행정 기술과 업무성과를 측정할 수 있는 사회조사방법 기술이 있으면 좋다.

7) 대한의료사회복지사협회 : http://www.kamsw.or.kr/

ㅇ 적성 및 흥미

타인의 문제와 욕구에 대응하려는 적극적인 자세와 해결을 위한 설득력과 조절능력을 갖추어야 하고 기꺼이 도와줄 수 있는 사명감과 원활한 의사소통을 할 수 있고 편견 없이 공감해줄 수 있는 자질이 수반되어야 한다. 한 사람의 문제와 욕구는 정답이 없기 때문에 사회적인 이슈와 정책에 관심을 가지고 문제들을 풀어나갈 수 있는 노력이 가능한 자세가 필요하다.

ㅇ 취업을 준비하는 이에게 전하고 싶은 글

병원에 의료사회복지 실습을 나온 학생들에게 첫 질문은 “왜 의료사회복지분야에 관심을 가졌는가?” 였다. 가장 많이 들었던 답변은 “뭔가 지적이고, 흰색 가운을 입고 일하는 모습과 전문성이 있어 보여서” 이다.

병원은 타 의료진들과의 협업을 해야 하기 때문에 공통용어인 의료, 간호, 기타 임상용어에 대한 지식뿐만 아니라 의료사회복지사의 역할을 스스로 명확히 규정하여 일을 추진해나갈 수 있는 자신감과 전문성을 갖추고 있지 않다면 타 전문직들과 소통하며 일하기 어렵기 때문에 소진과 한계를 경험하기 쉽다.

따라서 의료사회복지 실천을 위해 필요한 기록의 유형과 좋은 기록을 쓰기 위해 준비해야하는 항목들을 확인하여 기술을 습득하는 것이 필요하다. 왜냐하면 의료사회복지사가 환자와 가족에 대한 문제사정, 개입계획, 평가 등을 다른 전문가들에게 전달할 수 있는 유일한 도구이기 때문이다.

보이는 것에 초점을 두고 막연하게 해봐야겠다가 아니라, 의료사회복지사로서 꼭 갖추어야 하는 인성, 지식, 역할, 가치관이 무엇인지 확인하고 역량을 채우는 준비를 하기 바란다.

□ **병원 2**(정신건강사회복지사)

ㅇ 소속 : 정신과병원 정신건강사회복지사

ㅇ 하는 일

정신과 병원에서 치료팀의 일원으로서 정신과 의사, 간호사, 임상심리사 등과 협동하여 사정, 치료, 재활의 모든 분야에서 치료팀과 긴밀한 협조 하에 역할을 수행한다.

1) 사정를 위한 역할 : 개인력 검사, 사회환경조사를 통해 초기 접수 된 환자를 사정하고 치료계획을 수립하는 과정에 참여한다.

2) 치료를 위한 역할 : 개별면담, 가족상담, 집단치료 및 교육프로그램, 병동 치료프로그램(작업 및 오락요법)기획 및 운영, 자원봉사자 활용, 지역사회 자원동원 등을 통해 병원 내 치료활동에 참여한다.

3) 퇴원 및 사후관리의 역할 : 퇴원 후 사회복귀를 위한 퇴원계획 수립하고 지역사회 기관을 연결하여 사회적응을 돕는다.

퇴원 후 외래를 통한 개별상담을 하거나 낮병원(Day Hospital)을 운영하여 집에서 출, 퇴근 하여 병원 내 치료 프로그램을 이용할 수 있도록 한다.

> 낮병원(Day Hdspital)
>
> 낮병원은 정신의료기관의 입원형태 중 낮시간에만 부분입원을 하는 형태로 서비스를 제공하는 기관을 말한다. 입원치료의 대안으로 입원치료보다 덜 제한적이면서 더 융통성 있는 프로그램으로 운영하는 집중적이고 포괄적인 통원치료의 형태"로 정의하고 있다.

ㅇ 되는 길

- 교육 및 훈련 : 정신의료영역에서 사회복지분야를 활용해야 하므로 정신의료사회복지 현장실습과 자원봉사가 선행되어야 하고, 사회복지사 1급 자격증을 취득한 이후 정신건강사회복지사 2

급 수련과정을 통해 전반적인 이론적 지식과 필요한 전문적 기술을 습득해야한다.

- 필요(혹은 도움이 되는)자격증 등 : 환자와 가족의 면담이 기본으로 수행되어야 하기 때문에 상담에 관련 교육, 세미나 등에 꾸준히 참여하는 것이 좋고, 지역사회서비스 기관이나 자원에 대한 꾸준한 관심과 레크레이션, 미술치료, 음악치료 등 본인의 관심분야에 따른 자격증 취득은 사회복지 서비스를 제공하고 병동 내 치료프로그램을 운영하는 데 도움을 줄 수 있다.

ㅇ 적성 및 흥미

사람을 만나고 소통하는 것에 대한 두려움이 없고, 다른 사람의 필요를 돕는 것에 대한 열정이 필요하다.

특히 정신의학관련 종사자들과 함께 팀협력이 필수이므로 다른 사람들의 관점에 대해 이해하고 협력하는 자세를 가져야 하며, 전문가들과 함께 소통하고, 새로운 치료기술 ,기법 등을 배우기 위해 지속적으로 공부하려는 학구적인 태도 또한 필요하다.

ㅇ 취업을 준비하는 이에게 전하고 싶은 글

정신과 환자들에 대한 사회적 낙인이나 편견이 아직까지 우리 사회에 만연해 있다. 그들의 어려움에 공감하고 함께 하고자 하는 사명감이 있어야 쉽게 지치지 않고 오랜 기간 정신정강사회복지사로써 일할 수 있을 것이다.

정신과 환자나 심리에 대한 호기심, 심리전문가에 대한 동경 등 막연한 관심으로 시작했다가 자신의 문제에 얽매여 전문가로써 성장하지 못하고 중간에 포기하는 사람들이 많았던 것 같다. 따라서 자원봉사나 실습 등 꾸준하고도 실제적인 경험을 통해 자신에게 맞은 세팅인가를 심도있게 고민하고, 전문가로써 준비되어야 할 인성적, 학업적인 역량을 키워나가는 것이 필요할 것이다.

□ 지역기반 정신건강 서비스 1

ㅇ 소속 : 광역·기초정신건강복지센터

ㅇ 하는 일

정신건강복지센터는 정신질환의 예방과 치료, 정신질환자의 정신건강 친화적 환경조성으로 국민의 정신건강증진을 도모하기 위해 운영된다. 지역사회 중심의 통합적인 정신보건서비스 제공을 위해 지역사회정신보건사업을 기획 및 수행하며 지역주민의 욕구에 적합한 예방, 치료, 재활서비스가 제공될 수 있도록 정신보건시설 및 사회복지시설, 공공기관의 협력체계를 구축한다.

광역 정신건강복지센터에서는 해당 지역의 자살률 감소와 생명존중문화조성을 위한 자살예방사업, 중증정신질환자의 재원기간 감소와 사회통합 촉진을 위한 중증정신질환자관리사업, 정서행동문제를 경험하는 아동청소년의 서비스 이용률 향상을 위한 아동청소년 정신건강사업, 성인기 우울감 경험률 감소 및 다빈도 정신질환 치료율 향상을 위한 정신건강증진사업, 중독문제 감소 및 중독자 회복 촉진을 위한 중독관리사업 등을 수행한다. 각 사업 별로 주제에 맞는 연구 및 프로그램 개발, 인식개선을 위한 마케팅, 실무자 역량강화 및 전문가 양성, 지역주민을 위한 교육, 지역 유관기관과의 협력 네트워크 구축 등의 사업을 수행한다.

기초 정신건강복지센터에서는 중증정신질환자의 원활한 지역사회생활 및 삶의 질 향상을 위한 정신질환자관리사업(정신질환자 사례관리, 중증정신질환자 위기개입, 정신질환자 인식개선사업 등), 지역주민의 정신건강증진 및 정신건강 고위험군에 대한 적극적인 개입을 위한 정신건강증진사업(정신건강교육, 지역사회유관기관 네트워크사업, 정신건강 캠페인, 정신건강고위험군 스크리닝 등), 자살률 감소 및 생명존중 문화조성을 위한 자살예방사업(자살시도자 및 고위험군 사례관리, 생명존중문화조성사업, 생애주기별 자살예방사업, GateKeeper 양성교육 및 활동 등), 아동·청소년 정신건강문제의 예방, 조기발견 및 상담, 치료를 통한 건강한 성장 발달을 지원하기 위한 아동청소년 정신건강사업(아동청소년 고위험군 사례관리, 학교정신건강사업, 아동청소년 정신건강프로그램, 심리검사 및 스크리닝 사업) 등을 수행한다.

ㅇ 되는 길

- 교육 및 훈련 : 정신건강복지센터는 기본적으로 정신질환 및 정신장애인에 대한 이해가 필요하며 사례관리, 사업기획, 평가 등 사회복지 전반에 대한 역량을 갖추어야 한다. 또한 정신보건영역에서의 실습 및 자원봉사, 정신건강사회복지사의 임상수련 과정을 통한 정신건강 영역에 대한 경험 및 훈련이 필요하다.
- 필요(혹은 도움이 되는)자격증 등 : 정신장애인 및 가족, 자살고위험군을 포함한 지역주민들의 정신건강상담이 주요한 업무 중 하나임으로 상담 이론 및 기술에 대한 교육 및 자격증을 취득하는 것이 도움이 되며 사회복지사 1급 자격 취득 후 정신건강 전문요원 자격을 취득할 필요가 있다.

ㅇ 적성 및 흥미

정신질환 및 정신장애인 뿐 아니라 자살시도자, 자살유가족, 지역주민에 대한 관심과 이해가 무엇보다 중요하다고 할 수 있다. 또한 본인이 가지고 있는 정신질환에 대한 편견들도 생각해볼 필요가 있다. 정신건강복지센터에서는 지속적으로 지역주민, 유관기관 실무자들과 소통하여야하기 때문에 사람을 만나고 교류하는 것에 대해 관심과 흥미가 있으며 적극적인 태도를 가지는 것이 중요하다.

ㅇ 취업을 준비하는 이에게 전하고 싶은 글

'정신장애인는 위험하다', '정신장애인는 열등한 사람이다', '정신장애인는 이상하고 위험한 사람이기 때문에 사회에서 격리수용

해야한다', '정신질환은 특별한 사람들에게만 걸리고 유전되는 병이다'와 같이 우리가 가지고 있는 다양한 편견과 오해에 대해 생각해 볼 필요가 있다. 정신질환이라는 것은 특별한 사람들만 걸리는 질환이 아니라 평생 동안 열명 중 세 명 정도는 정신질환에 걸릴 수 있는 아주 흔한 질환 중에 하나일 뿐이다. 이러한 다양한 오해와 편견들 때문에 고통 받는 정신장애인이나 정신질환을 가지고 있음에도 불구하고 이를 숨겨야만 하는 많은 사람들에 대한 관심을 가져줄 필요가 있다.

사회복지영역 중 정신건강이라는 분야가 임상수련을 거쳐야 하며 타 사회복지영역보다 전문가처럼 느껴지는 것 때문에 정신건강 사회복지사를 꿈꾸는 사람들이 많다. 하지만 이것은 잘못된 믿음 중에 하나이다. 타 영역의 사회복지사들과 달리 정신건강 영역에 대한 지식을 가지고 있다는 것 뿐이지 다른 사회복지사들보다 전문가라는 생각을 버릴 수 있어야 한다. 정신건강 영역은 사회복지영역 중 일부분이기 때문에 본인의 기본 베이스가 되는 학문은 사회복지임을 잊지 말고 사회복지사의 전문성을 위해 많은 고민과 역량을 강화할 수 있도록 지속적으로 노력해야한다.

□ 지역기반 정신건강 서비스 2

ㅇ 소속 : 중독관리통합지원센터

ㅇ 하는 일

중독문제로 도움이 필요한 사람들과 그 가족들에게 중독 상담 및 재활프로그램 등 전문적이고 다양한 서비스를 제공하며, 지역주민들을 대상으로 중독 예방교육 및 교육활동을 실 시하여 보다 건강한 개인, 가족, 지역사회를 유지하도록 돕는 중독전문 상담기관이다.

ㅇ 되는 길

- 교육 및 훈련 : 주로 알코올 관련 및 정신과 영역과 이에 수반되는 신체적 질환에 대한 전반적인 이론적 지식의 습득과 주 업무가 사례관리이므로 상담에 필요한 자질을 갖출 수 있도록 해야 한다.

- 필요(혹은 도움이 되는)자격증 등 : 근무자격 요건은 사회복지사, 간호사, 임상심리사이며 인력 구성에 정신보건전문요원이 2인 이상 구성되어야 하므로 정신건강전문요원(간호사, 임상심리사, 사회복지사)자격증을 취득하면 도움이 된다.

ㅇ 적성 및 흥미

중독의 특성상 재발이 반복되고 회복이 원활하게 이루어지지 않는 어려움이 있어 대상자에 대한 적극적이고 지속적인 개입이 필요하다. 긍정적인 사고와 적극적인 자세로 대상자의 중독문제를 개선하려는 의지가 있어야 한다.

ㅇ 취업을 준비하는 이에게 전하고 싶은 글

중독관리통합지원센터는 사례관리 및 프로그램 진행, 외부 교육, 캠페인 등 다양한 업무를 실시하는 기관이다. 중독문제를 가진 대상자의 회복을 위한 활동들은 많은 어려움이 따르기도 한다. 이런 일련의 활동들은 개인의 중독문제를 개선하여 건강한 삶을 영위하고 나아가 지역사회 중독문제를 예방하고 대처하는 중요한 사업이다. 기관의 도움으로 중독문제를 극복하려는 회원들과 다양한 중독 관련 정보를 지역주민에게 전달하면서 만족해하는 모습을 보면서 보람을 느끼며 사명감을 가지게 된다.

□ 정신보건시설 1

o 소속 : 정신장애인 정신재활시설

o 하는 일

정신재활시설[8]은 정신의료기관에 입원하거나 정신요양시설에 입소하지 아니한 정신장애인의 사회복귀촉진을 위하여 사회적응훈련, 작업훈련 등 재활서비스를 제공하는 곳이다. 입소생활시설, 지역사회재활시설, 직업재활시설 등에 따라 주요업무에 다소 차이가 있으나 전반적으로 정신건강에 어려움을 가진 사람들이 안심하고 치료를 받을 수 있도록 개입하고 지역주민과 함께 살아갈 수 있도록 지원하는 역할을 한다.

개별 재활계획 수립 및 상담, 사회복귀를 위한 일상생활 및 사회기술, 대인관계 및 스트레스관리, 문화예술여가체육활동 지원, 직업재활 및 취업자에 대한 개입과 지원, 독립생활 및 주거지원, 가족교육 및 상담, 가정방문, 지역사회자원을 활용한 효과적인 재활프로그램 실시, 지역사회자원동원 및 후원자 관리, 지역사회 정신건강교육, 의료기관 및 지역사회기관과의 연계, 지역주민의 정신건강 인식개선 사업, 정신보건에 관한 조사연구 활동, 지역정신보건심의위원회 자문활동 등으로 지역사회에서 정신장애인이 건강하게 살아가기 위한 회복을 위한 다양한 관점에서 통합적인 서비스를 지원한다.

o 되는 길

- 교육 및 훈련 : 지역사회정신보건영역에서 사회복지를 적용해야하므로 정신보건사회복지 현장실습과 자원봉사가 선행되어야 한다. 이후 정신건강사회복지사 수련을 통해 전반적인 이론과 현장적용에 필요한 전문적 기술을 습득해야 한다.

- 필요(혹은 도움이 되는)자격증 등 : 사회복지사 1급 자격증, 정신

8) 정신재활시설협회(http://www.kpr.or.kr) 시설안내 참조

건강사회복지사[9] 1,2급 자격증. 인간에 대한 심층적인 이해가 필요함으로 상담 관련된 과정을 이수하는 것도 업무수행에 도움이 된다.

ㅇ 적성 및 흥미

인간 내면에 대한 관심과 지역사회 정신건강에 대한 관심이 있어야 한다. 이를 위해 자신의 문제를 인식하고 받아들일 수 있는 자기성찰과 가지분석을 인식하는 노력과 훈련이 필요하다. 정신장애인을 위한 인권과 재활, 자원연계와 환경의 변화를 통한 더불어 함께 사는 지역사회 만들기를 위한 뛰는 가슴과 전문적인 서비스를 제공하기 위한 실천기술이 우선되어야 한다.

ㅇ 취업을 준비하는 이에게 전하고 싶은 글

최근 사회는 심리적, 사회적, 경제적인 어려움으로 인해 정신건강의 문제가 더 이상 개인의 문제가 아닌 사회 전반에 영향을 미치고 있다. 정신건강사회복지사는 앞으로도 각광받는 직종이 될 것이라 생각된다.
이와 더불어 지역사회에서 정신장애인이 건강하게 살아갈 수 있는 환경을 만들고 개인의 역량을 높이기 위하여 실천현장에서 정신장애인의 권리와 사회제도, 정책, 복지서비스를 위해 함께 목소리를 내고 지원할 수 있어야 한다. 사회문제, 사회조직, 사회행동에 관심을 갖고 사람을 무엇보다 소중히 여기는 사람다운 사회복자사가 되고자 하는 분들이 실천현장에 많이 배출되기를 응원한다.

---

9) 정신건강사회복지사지격 및 수련관련 정보는 한국정신보건사회복지사협회(http://www.kamhsw.or.kr)참조

〈 도움이 되는 책 추천 〉

인생의 숲을 거닐다

아픔과 상처가 회복되는 정신장애 자녀를 둔 가족의 생애사
한지연 저, 바이북스, 2017

저자 한지연은 12년째 정신재활시설 송국클럽하우스에서 정신장애인을 위해 일하고 있는 정신건강사회복지사이다.
저자는 정신장애 자녀를 둔 가족을 상담하기 시작해 마침내 가족들의 자조모임인 송국가디언클업을 창단할 수 있도록 도움으로써 가족들의 아픔과 상처를 회복할 수 있는 길을 열었다.(출처: yes24 서평)

책을 통해 정신보건사회복지사의 역할을 찾아보고 자기의 삶과 정신보건사회복지사의 삶을 교차해 볼 수 있는 좋은 책이다.

희망 담은 부산 정신보건사회복지 이야기

권성진 외 공저, 공동체, 2017

사회복지사와 정신장애인 당사자가 함께 쓴 희망 담은 부산 정신보건사회복지 이야기는 그 동안의 정신보건현장의 변화를 기록하면서 평가하고, 1996년 한국에 최초로 제정된 정신보건법이 시행된 후 어떻게 변화해 왔으며, 그 궤적을 따라 앞으로 어떻게 나아가야 할지에 대해서도 독자들이 많은 영감을 얻었을 것이다.(출처 : 최송식 종장 격려의 글)

□ 정신보건시설 2

ㅇ 소속 : 정신요양시설

ㅇ 하는 일

만성 정신질환을 가지고 있으며 가족의 보호가 어려워 입소하고 계신 생활인(정신장애인)을 위하여 입소상담, 개별 및 가족상담, 다양한 전문 프로그램을 계획하고 실행한다.

주요 사업으로는 개별지원서비스 및 사례관리, 사회심리재활프로그램, 여가활동지원 및 직업재활, 지역사회연계사업, 권익옹호사업, 후원개발 및 연계 등을 실시하며 이를 통해 정신장애인의 보호 및 재활을 위한 서비스를 제공한다.

ㅇ 되는 길

- 교육 및 훈련 : 정신보건영역에서 사회복지실천기술을 활용해야하므로 정신보건시설에서의 사회복지 현장실습과 적극적인 자원봉사활동이 요구되며 나아가 정신건강사회복지사 수련을 통해 전반적인 이론적 지식과 사정 및 개입에 필요한 기술, 프로그램 계획 및 실시 등의 전문적 기술을 훈련받고 습득할 수 있다.

- 필요(혹은 도움이 되는)자격증 등 : 사회복지사 자격 외에 정신건강사회복지사 자격이 있으면 도움이 된다. 그 외에 정신장애인에 대한 사정 및 개입기술 및 상담에 필요한 자격이 있으면 좋다.

ㅇ 적성 및 흥미

정신장애인에 대한 관심이 있고, 다른 직역(간호사 등)와도 업무적인 개입과 접근이 요구되므로 타 전문직(간호사 등)과 관계 및 소통을 하는데 어려움이 없으면 도움이 된다.

ㅇ 취업을 준비하는 이에게 전하고 싶은 글

정신질환이라는 부정적인 인식을 개선하고 정신장애인에 대해 공감하고 이해하며 개별적인 욕구에 도움을 주고자 다양한 개입방법과 자원연계 및 서비스를 모색하는 적극적인 자세가 필요하며, 시설 내에서 다른 직종과의 매끄럽고 원활한 의사소통이 가능할 수 있는 대처기술과 방법들을 익히는 것도 중요하다.

□ 정신건강복지센터

ㅇ 소속 : 00구정신건강복지센터 정신건강전문요원(정신건강사회복지사)

ㅇ 하는 일

정신건강복지센터에서 정신건강사회복지사는 정신질환의 예방·치료·재활과 정신건강 친화적 환경 조성을 위하여 다양한 정신건강 서비스를 제공한다. 지역주민, 정신질환자 및 가족, 아동·청소년, 정신건강문제 고위험군, 자살시도자 및 유가족을 대상으로 정신건강상담, 사례관리, 주간재활프로그램, 가족교육 및 상담, 응급 및 위기개입, 정신건강교육, 관련요원교육(관련학과 실습생 지도 등), 자원봉사자 관리, 정신건강인식개선 및 홍보, 지역사회 네트워크 구축 등을 수행한다.

ㅇ 되는 길

- 교육 및 훈련 : 사회복지학과 졸업 후, 사회복지사 1급 자격증 소지자 또는 자격취득예정자의 경우 보건복지부 장관이 지정한 수련기관에 임상수련과정을 지원할 수 있다. 합격 후에는 1,000시간의 수련과정을 마치고 임상수련과제 제출 및 자격시험을 합격하면 정신건강사회복지사 2급 자격증이 주어진다.
  2급 정신건강사회복지사 자격취득 후 정신보건분야의 임상실무에 종사한 자로서, 연간 필요 학술활동 점수를 취득하고, 한국정신건강사회복지사협회 규정에 따른 자격승급에 대한 심사를 필하면 정신건강사회복지사 1급 자격증이 주어진다.
- 필요(혹은 도움이 되는) 자격증 등 : 실무에서 행정업무를 효율적으로 하기 위한 문서처리능력, 컴퓨터활용능력이 필요하다. 또한, 통계 관련 자격증이나 회계 관련 지식이 있으면 유용하다. 정신질환 관련 전문 지식 및 사회복지 실천 현장에서의 개인, 집단, 가족, 지역사회 대상의 실천기술을 숙지·활용해야 한다. 다양한 대상자를 만나게 되므로 생애주기에 따른 다양한 이해

가 필요하다. 다양한 직역이 함께 일을 하므로 각 직역 간의 이해와 협업이 중요하다.

o 적성 및 흥미

타인에 대한 관심과 다양한 분야의 지식에 대해서 흥미를 가지는 것이 사회복지 전문가가 되기 위해 도움이 될 것이다. 사회복지사는 다른 사람과 함께 일하는 경우가 많으므로 적절한 유대관계를 잘 형성할 수 있는 사회성은 중요하다. 사회복지사는 다양하게 변화하는 상황들에 직면하는 경우가 많은데 이에 유연하게 대처할 수 있는 융통성이 필요하며, 스스로의 신체적·정서적 자기관리가 필수적이라 생각한다.

o 취업을 준비하는 이에게 전하고 싶은 글

사회복지를 전공하고 어떤 분야에서 일을 하든지 가장 중요한 것은 내가 만나는 대상자에 대한 '진심'이라고 생각한다. 실무에 필요한 기술이나 전문적인 지식이 조금 부족하더라도 대상자에 대한 진심이 있다면 그 마음은 충분히 전달될 것이라고 생각한다. 더불어, 내가 만나는 대상자에게 더 좋은 서비스를 주기 위해 스스로 노력하고 공부한다면 '진심을 가진 사회복지 전문가'로 성장할 수 있을 것이다.

5. 정부, 공공기관

□ 국가직 중앙정부(보건복지부) 사회복지전담공무원

ㅇ 소속 : 보건복지부 사회복지직(6급, 주사)

ㅇ 하는 일

보건복지부가 하는 업무는 보건과 복지로 크게 분류 할 수 있다. 보건 영역은 보건의료, 건강보험, 공공보건, 보건산업, 한의약 정책으로, 복지 영역은 기초생활보장, 장애인, 노인, 아동, 보육 등 대상자별 복지와 사회서비스, 국민연금 등의 정책을 담당하고 있다.

복지국가를 지향하고, 국민들의 삶의 질 향상을 위하여 여러 가지 정책을 만들고 그 정책들이 국민들에게 올바르게 전달될 수 있도록 지방자치단체나 공공기관 등을 통하여 협력하며 복지정책이 국민들의 일상생활 속에 스며들도록 노력하고 있다. 최근 논의되고 있는 아동수당과 같이 새로운 제도를 도입하기 위해서는 우선 법제화를 통해서 근거가 되는 법령을 제정 또는 개정하여야 한다. 법령의 제정이나 개정은 국회의 고유 권한이다. 입법 절차를 통해 제도가 국민들에게 집행될 수 있는 법적 근거가 마련된다. 기존이나 신규 정책 모두 이를 수행할 예산을 반영하거나 국민들의 욕구에 따른 예산 규모를 확대하여야 한다. 정책이나 사업을 추진하기 위한 논리로 관계부처(보건복지부, 기획재정부, 국회)를 통한 예산 확보를 위한 노력들이 필요하다.

국민들의 위하여 추진한 각종 복지사업이나 정책을 책임 있게 추진하여야 하고, 결과에 대해서는 자체평가, 외부평가, 감사원감사, 국회 국정감사 등의 평가 절차를 거쳐 존폐 또는 확대 여부가 결정된다. 현재 보건복지부는 대부분의 복지정책과 더불어 여러 중앙부처 복지정책과 관련하여 컨트롤타워로서 역할도 수행하고 있다.

ㅇ 되는 길

- 교육 및 훈련 : 보건복지부를 비롯한 중앙부처에 근무하는 국가공무원이 되기 위한 경로는 다양하다.

  매년 부처별 공무원 인력수요를 반영하여 인사혁신처에서는 국가공무원(5급, 7급, 9급)과 민간경력자(5급) 선발계획을 발표하고 적임자를 국가공무원으로 채용하여 부처별로 배치하고 있다.

  그리고 보건복지부에서는 자체적으로 보건직(보건직류, 방역직류 7급, 9급)에 대한 선발·배치를 하고 있다

  보건복지부에서 사회복지공무원으로 근무하는 경우는 현재 국가공무원 5급(사회복지직, 매년 1~3명 선발)을 통하여 근무하거나, 지방직 사회복지공무원 중 국가직 전직시험을 거쳐 근무하고 있다.

  일반적으로 행정고시라 하는 국가공무원 5급(사회복지직) 시험은 1차 필기(헌법, 언어논리영역, 자료해석영역, 상황판단영역, 영어, 한국사), 2차 필기(필수4과목-사회복지학, 사회학 행정법, 경제학, 선택1과목-조사방법론, 사회심리학, 사회문제론, 사회법, 사회정책, 행정학), 3차 면접으로 합격자를 선발하고 있다.

  또한 국가공무원 5급(행정직)이나 국가공무원 7급(행정직) 시험(1·2차 필기 7과목-국어, 영어, 한국사, 헌법, 행정법, 행정학, 경제학), 3차 면접으로 보건복지부에 근무할 수 있다.

  따라서 보건복지부에서 근무하기 위해서는 꼭 사회복지사 자격증 보다는 공무원 시험과목에 대한 적극적인 교육과 훈련이 필요하고, 한국사(한국사능력검정시험), 영어(영어능력시험)에 대한 사전준비가 필요하다.

- 필요(혹은 도움이 되는) 자격증 등 : 국민들의 다양한 욕구에 따라 복지정책이나 사업이 급격하게 확대되어가는 추세이다. 확대되는 업무 효율화를 위하여 각종 복지시스템이 도입되며 정

보화로 함께 발전해 가는 것을 감안하면 각종 전산 자격증과 복지의 근본이 되는 사람, 즉 인간에 대한 이해가 높아야 하므로 상담관련 자격증도 업무수행에 많은 도움이 된다.

ㅇ 적성 및 흥미

중앙부처 사회복지공무원은 사회복지에 대한 명확한 전문적 지식을 갖추는 것은 기본이며, 다양한 욕구를 가지고 있는 저소득층, 아동, 장애인, 노인 등 대상자별 특성과 정책이 실행되는 현장을 잘 이해하고 이를 바탕으로 정책을 수립하거나 사업을 추진할 수 있어야 한다.

또한 여러 이해관계가 엮어져 있는 단체나 기관 등과 의견수렴, 협의, 조정, 대안제시 등 정책방향을 올바르게 나가도록 적극성과 추진력이 필요하고, 따뜻한 가슴과 냉철한 머리, 상대를 배려하고 작은 소리에도 공감적으로 경청하는 마음 자세가 필요하다.

ㅇ 취업을 준비하는 이에게 전하고 싶은 글

노량진 공시족으로 대표되는 공무원은 지망생들은 안정적인 직업으로서 평생직장이라는 개념으로 선호하고 있다.

9시 땡! 출근에 6시 땡! 퇴근과 퇴직 후 보장되는 연금은 수 많은 공무원 지망생을 만들고 있다. 그러면서 흔히 '탁상행정', '복지부동', '철밥통'이라는 부정적인 명칭이 공무원 보다 입에 올리기 쉬운 현실이다.

변화가 없고 안정된 직장에서 편안하게 업무를 보고 있다고 생각되는 공무원, 즉 그러한 중앙부처 공무원은 신기루이다. 이러한 허상만 좇아서 찾아오는 공무원은 엄청난 혼란을 겪을 수 있다. 국민을 보다 편안하고 즐겁게 살아갈 수 있도록 정책을 고민하고 끈기 있게 사업을 추진할 수 있는 사람이 필요한 곳이다.

공무원의 가치와 역할, 자신의 재능이나 적성을 잘 고려하여 멋진 공무원이 되고자 선택하는 적극적인 마음가짐으로서 공무원을 선택하였으면 한다.

(참고1) 보건복지부 주요업무

부서명		주 요 업 무 (과명)
대변인		보도자료 배포 및 언론관계 총괄, 홍보계획 수립, 온라인홍보 및 주요정책 홍보기획, 부내업무 대외 정책발표사항 관리 등
감사관		본부·소속기관·공공기관 및 법인 행정감사, 기강감사, 직무감찰, 공무원범죄처분, 진정 및 비리사항 조사, 안전점검, 비리사항 요인 분석, 장관특명사항 조사처리, 복지급여 부적정 수급 조사 등 (감사담당관, 복지급여조사담당관)
기획조정실		성과·조직업무의 총괄, 법률·규제업무 총괄, 통계업무 총괄, 정보화업무 총괄 (정책통계담당관, 정보화담당관, 보건복지콜센터)
	정책기획관	각종 정책 및 계획의 총괄·조정, 주요정책현안과제의 발굴, 세입·세출예산 기금 편성 및 배정·집행, 재정운용계획 수립·종합 및 조정, 성과·정원 및 조직관리, 법률·규제업무 (기획조정담당관, 재정운용담당관, 혁신행정담당관, 규제개혁법무담당관)
	국제협력관	보건복지 분야 국제협력 강화 및 통상협력의 추진 등
	비상안전기획관	재난안전, 국가위기관리, 정부연습, 비상대비중점업체 지정 및 관리, 국가동원자원관리, 국가지도통신망관리 등 (국제협력담당관, 통상협력담당관)
보건의료정책실		보건의료정책, 공공의료정책, 한의약정책 총괄
	보건의료정책관	보건의료·의약품정책 수립, 보건의료자원관리 등 (보건의료정책과, 의료자원정책과, 의료기관정책과, 약무정책과)
	공공보건정책관	질병 정책수립·조정, 질환자 지원, 암 관련 정책수립·관리, 응급의료정책, 공공보건의료정책, 생명윤리 및 안전 정책 수립 등 (질병정책과, 공공의료과, 응급의료과, 생명윤리정책과)
	한의약정책관	한의약정책 수립, 한의약공공보건사업, 한의약산업 육성 등 (한의약정책과, 한의약산업과)
건강보험정책국		건강보험정책, 산하단체관리(공단, 심평원), 건강보험보장, 의약품 약가 재평가, 요양기관 현지조사, 건강보험 사후관리 등 (보험정책과, 보험급여과, 보험약제과, 보험평가과)
건강정책국		건강관리정책, 구강생활건강, 정신건강 (건강정책과, 건강증진과, 구강생활건강과, 정신건강정책과)
보건산업정책국		보건의료산업정책 수립, 보건의료연구개발사업 추진, 보건의료정보화 추진, 오송단지 중장기 발전 계획 수립, 국내·외 홍보 및 투자유치 (보검산업정책과, 보건의료기술개발과, 보건산업진흥과, 의료정보정책과)

부서명		주요업무(과명)
	해외의료사업지원관	해외의료 종합계획 수립, 의료 해외진출 지원 및 육성, 외국인 환자 유치 지원 및 육성, 해외의료 국제협력 등 (해외의료총괄과, 해외의료사업과)
사회복지정책실		사회복지정책, 지역복지정책, 사회복지전달체계, 사회서비스정책 총괄
	복지정책관	사회복지정책, 국민기초생활보장, 사회통합을 위한 정책 분석· 개발, 의료급여, 자활지원 등 (복지정책과, 기초생활보장과, 자립지원과, 기초의료보장과)
	복지행정지원관	지역사회보장계획 수립, 사회복지전달체계, 사회보장정보시스템 구축, 사회보장급여 선정·지원 기준의 조정 및 표준화 (지역복지과, 급여기준과, 복지정보기획과, 복지정보운영과)
	사회서비스정책관	사회서비스 정책 수립·조정, 지역사회서비스 투자사업, 전자 바우처 시스템 구축·운영, 민간복지자원 육성, 나눔문화 확산 등 (사회서비스정책과, 사회서비스사업과, 사회서비스자원과, 사회서비스일자리과)
장애인정책국		장애인복지정책, 장애인권익보장, 장애인재활지원, 장애인연금, 장애인활동지원제도 운영 등 (장애인정책과, 장애인권익지원과, 장애인자립기반과, 장애인서비스과)
인구정책실		인구정책, 아동정책, 노인복지정책 및 보육정책 총괄
	인구아동정책관	저출산고령사회기본계획 및 시행계획 수립 및 관리, 저출산고령 사회정책개발 및 관리, 인구 관련 정책의 총괄 조정, 아동복지 정책 수립 등 (인구정책총괄과, 출산정책과, 아동복지정책과, 아동권리과)
	노인정책관	노인보건복지정책 종합계획 수립, 노인일자리 및 사회활동 지원, 노인복지시설 운영지원, 노인학대예방, 장사제도 운영, 노인요양 보장 종합계획 수립, 노인요양보험제도 운영, 고령친화산업육성 등 (노인정책과, 노인지원과, 요양보험제도과, 요양보험운영과, 치매정책과)
	보육정책관	중장기 및 연도별 보육계획 수립·조정, 보육시설 및 종사자 관리, 보육료지원, 보육시설 확충 및 운영지원, 전자바우처 도입 등 (보육정책과, 보육사업기획과, 보육기반과)
연금정책국		국민연금제도·기금 운영, 국민연금공단 관리, 기초연금제도 운영 등 (국민연금정책과, 국민연금재정과, 기초연금과)
사회보장위원회 사무국		사회보장 기본법령, 사회보장제도의 신설·변경에 관한 협의·조정, 사회보장제도 평가계획 수립·시행 등 (사회보장총괄과, 사회보장조정과, 사회보장평가과)

(참고2) 보건복지부 조직(2017. 9월)

구 분		내 용
직제	본 부	4실 6국 14관 1대변인 72과 (11담당관 1센터 포함)
	소속기관	1차 13개 기관 : 질병관리본부, 정신병원(5), 소록도병원, 재활원, 결핵병원(2), 오송생명과학단지지원센터, 망향의동산관리원, 건강보험분쟁조정위원회 사무국 ※ 2차 17개 기관, 3차 11개 기관
정 원		총 3,206명 (본부 781, 소속기관 2,425)

(참고3) 보건복지부 조직도

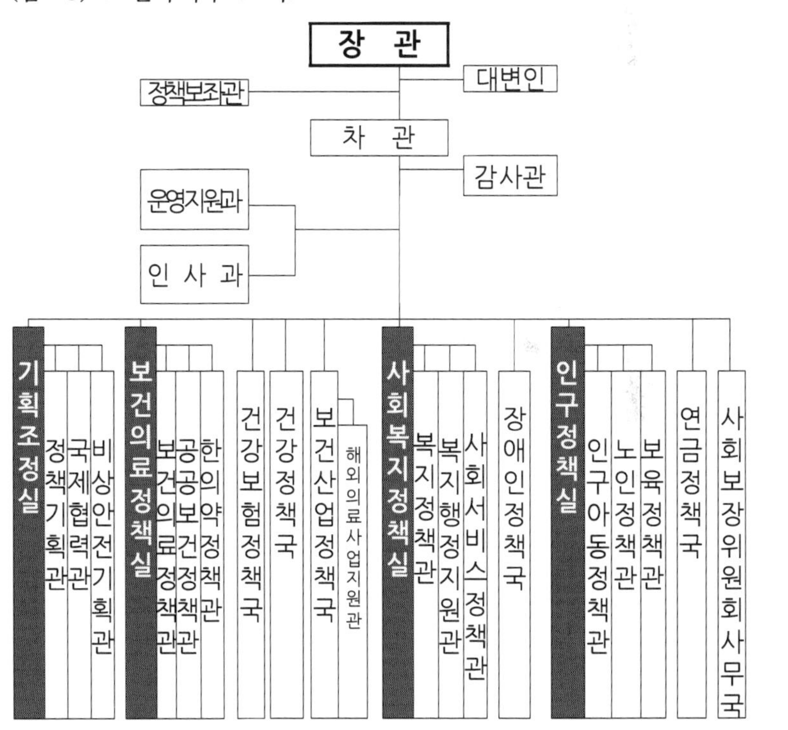

〈 도움이 되는 책 추천 〉

사랑밖에 없다

고석의 사회복지 이야기

고석 저, 평사리, 2017

지은이 고석은 동네 주민센터에서 생활보호대상자 등 어려운 이웃의 민원을 담당하는 사람들이 사회복지공무원이다.
경제적으로 생활이 어려운 이들을 돕고자 국가에서 사회복지공무원제를 1987년에 신설했으니, 이 제도가 만들어진 지 30년, 거의 한 세대가 되어 간다.
그 시간 동안 과연 대한민국의 사회복지는 얼마나 성숙해 왔을까?

이 책의 저자인 고석은 사회복지공무원으로서는 1세대이다. 한센인 거주지가 그의 첫 임지였다. 이후 26년 동안 복지 현장에 있었다. 이 책은 수급자와 복지제도 사이에서 사회복지공무원이라는 독특한 역할을 해온 저자 고석의 이야기이자, 우리 사회가 추진해 왔던 공공 사회복지의 생동감 있는 현장의 역사이다. 또한 우리 사회의 복지 시스템이 나아가야 할 길을 엿볼 수 있는 소중한 육성 기록이기도 하다(출처: www.yes24.com).

사회복지사 고석님을 처음 뵌 것은 2010년 하반기였습니다. 보건복지부 지역복지과에서 위탁받은 사업을 하면서 뵈었지요. 당시 지역복지과는 국민들에게 즐거운 일을 많이 꾸미고 있었습니다. 지역복지 시스템을 새롭게 혁신(革新)하기 위해 노력하고 있었지요.
항상 웃는 얼굴로 사람을 대하는 사회복지사 고석님을 이후에 뵌 것은 복서원(福書院)이라는 사회복지업무를 하는 종사자들이 본인의 업무경험을 글로 써내는 교육이었습니다. 그 결과물이 담겨있는 이 책을 추천합니다.

□ 지방자치단체(시도, 시군구, 읍면동) 사회복지전담공무원

ㅇ 소속 : 00광역시 00구 002동 주민센터 맞춤형 복지팀장

ㅇ 하는 일

사회복지 공무원은 공공사회복지 영역에서 일하는 사람들이다. 따라서 업무의 범위와 서비스 대상은 매우 넓어 '하는 일이 이것이다.' 라고 명확하고 분명하게 규정하기가 어렵다. 공공사회복지 영역에서 이루어지는 모든 일을 담당해야 하는 한마디로 멀티 플레이어가 되어야 한다.

현재 나의 업무 분장을 보면 맞춤형 복지업무 총괄 이라는 매우 포괄적인 표현으로 규정되어 있다. 말 그대로 복지업무의 모든 일을 관할한다는 뜻이다.

그럼에도 불구하고 하는 일을 설명해 보라고 한다면,

첫째 2000년 10월 시행된 우리나라 복지제도의 근간을 이루고 있는 기초생활 보장업무이다. 저소득 세대 주민들에게 수급 받을 수 있는 권리를 부여하고 최저생계비 이하의 주민들을 수급자로 선정하기 위한 조사업무에서 수급자격의 적정성 여부를 관리하는 업무를 비롯해서 생계. 의료. 주거. 교육. 자활 등 각종 급여 지급 업무와 여기에서 파생되는 수많은 민원상담이다.

둘째 사회복지서비스 수혜 대상별 영역으로 노인, 장애인, 아동, 청소년, 여성, 보훈, 다문화, 북한이탈주민, 평생교육, 희귀난치성, 일자리, 지역사회 서비스 투자 사업까지 복지 업무는 그야말로 광범위 하다.

'복지' '저소득' 이라는 단어만 들어가면 무조건 사회복지 공무원 앞으로 일이 떨어짐으로 행정직 직원들과 미묘한 신경전을 벌이기

도 하며. 따라서 업무 분장으로 인한 스트레스를 많이 받는다.

ㅇ 되는 길

- 필수 자격증 : 사회복지사 3급 이상의 자격증이 반드시 필요하다. 공무원 시험은 전공. 성별. 경력에 제한 없이 누구에게나 기회를 주지만 사회복지공무원 채용시험에 응시하기 위해서는 사회복지사 3급 이상의 자격증을 반드시 취득해야한다.
 시험과목은 필수 3과목(국어.영어.한국사)과 선택2과목(사회복지개론, 행정법총론, 사회, 과학, 수학, 행정학개론 중 2과목 선택) 총 5과목의 시험을 치러 선발하며 지자체 별 선발인원 및 시험일정이 다르기 때문에 응시하고자 하는 지역의 시험 공고를 꼼꼼히 확인해야 한다.

ㅇ 적성 및 흥미

사회복지 공무원은 사회복지사 자격증을 가진 사람들끼리의 제한 경쟁이라 일반 행정직에 비해 경쟁률이 낮을 수는 있지만 사회복지 공무원의 업무와 스스로의 자질을 냉정하게 돌아볼 필요가 있다.

첫째 사회복지 공무원에게 가장 필요한 덕목은 사람을 돕고자 하는 마음이 준비되어 있어야 한다. 이는 사람에 대한 관심이며 흔히들 **복지 마인드**라는 말로 표현하기도 한다.
그리고 청렴이라는 덕목이다. 청렴이라는 말 속에는 이미 성실.책임. 친절. 공정함 등 좋은 가치를 담고 있는 말이다.
국민의 세금이든 민간자원에서 들어온 양말 한 짝이라도 꼭 필요한 사람들에게 골고루 잘 전달 되도록 해야 한다.

둘째 공무원조직은 아직도 연공서열이 강하다. 튀는 창의적인 도전이나 아이디어가 환영받지 못하거나 단번에 변화를 가져오는 반전을 기대하기 어려운 조직의 답답함도 있다.

자신만의 꿈과 비전을 가지고 자기계발을 하기도 힘든 부분도 있다. 오죽하면 이런 말이 있다. "**들어 올 때는 영재(英才)들이 들어오는데 모두 범재(凡才)로 머물러 있다**"
이는 개개인은 매우 뛰어난 역량 갖고 있는 사람들임에도 불구하고 조직 속에서 그 역량을 제대로 발휘하지 못하고 너무도 평범한 일을 반복하고 있는 공무원들의 자조 섞인 푸념이다.

물론 공공복지영역에서 열정과 사명을 가진 좋은 사회복지 공무원 한사람이 그 지역사회와 지역주민들에게 끼치는 영향력은 매우 크다.
24년 공무원 생활이 별로 매력적이지 않았다는 느낌이 든다는 것은 어디까지나 나 개인적인 생각이며 취향일 것이다. 일정한 틀 속에 가두어 버리는 공무원의 안정적인 고용조건 보다는 불안정한 도전과 용기를 선택하는 열정이 있는 청춘이기를 바란다.

본인의 적성과 흥미 성격과 기질을 잘 파악하고 자신의 꿈과 비전을 잘 살펴 신중한 결정을 해야 한다.
안정적인 생활을 선호하는 사회적인 추세나 또는 부모님의 권유 때문에 적성과 흥미에 맞지 않는 일을 선택한다는 것은
개인적으로나 국가적으로 큰 손해이기 때문이다.

< 도움이 되는 책 추천 >

사회복지공무원을 소개합니다

사회복지공무원의 복지현장 이야기

이정숙, 조만선 저, 정민사, 2013

사회복지공무원의 복지현장 이야기『사회복지공무원을 소개합니다』.

이 책은 사회복지 전문요원이라는 이름으로 근무했던 사회복지공무원의 출발, 복지현장에서 만난 다양한 사례, 복지현장 전문가로서 작고 소박한 창의적인 도전을 해본 경험들과 분야별 사회복지정책을 소개하는 정보를 담은 책이다.

사회복지공무원들의 업무를 소개하는 책들이 최근에는 많이 나오고 있습니다만, 이 책은 두명의 사회복지직공무원들이 공무원으로 업무를 처음 시작하던 시절, 사회복지전담공무원제도가 시작되던 시점부터 사회복지직공무원의 업무경험을 기록하고 있다.

사회복지사 이정숙님을 처음 뵌 것은 2010년 12월이었다. 내 기획한 'I am 복지디자이너'라는 교육의 수강생으로 오셨다. 예산 없이 지역에 맞는 사회복지사업을 기획하는 것을 목표로 삼는 교육이었는데, 이 교육을 통해서 '부평 깡시장'의 활성화 방법에 대해 고민하고 기획하고, 실천하는 모습을 뵈었다.
공무원이 할 수 있는 일은 참 많다. 예산이 없어도 할 수 있는 일이 참 많다. 이 책은 그들의 노력이 담겨져 있는 책이다. 사회복지를 공부하고 관련한 공무원을 하고자 하는 경우에는 이 책을 추천한다.

□ 지방자치단체(시도, 시군구, 읍면동) 통합사례관리사

o 구분 : 보건복지부 희망복지지원단(시군구) 통합사례관리사[10)]

o 하는 일

- 시군구 희망복지지원단에서 통합사례관리 업무 수행
  · 지역자원 서비스 발굴· 연계, 사례관리 대상 가구의 욕구조사 및 서비스제공계획 수립, 서비스자원 연계 의뢰 및 제공여부 지속적 점검 등 취약계층 발굴 및 위기 가구 종합상담

- 보건복지콜센터 129 이관콜 업무 수행
  · 복지부 중앙 콜센터와 연계한 상담시스템을 통해 보건복지콜센터와 시·군·구 희망복지지원단 내 통합사례관리사 간 상담전화·데이터 이관을 통한 종합상담 및 서비스 연계·대상자 모니터링

<통합사례관리>와 <통합사례관리사>

- 동 사업은 「사회복지사업법」 제 2장의 2 '사회복지서비스의 실시'를 근거로 하며, 지역사회의 공공복지를 담당하는 지자체에서 수행할 핵심적인 업무로서 '통합사례관리'라는 용어로 통칭함.
- 사례관리사란: 사례관리 기능을 하는 자(case manager)를 사례관리사라하며, 이는 문제해결자, 변호자, 중재자, 진단자, 계획자, 지역사회 또는 서비스 조직자, 시스템 연계자, 서비스 감사자와 시스템 수정자, 기록보관자, 평가자, 컨설턴트, 공동원조자, 서비스조정자, 치료자, 상담가, 촉진자 등의 역할을 수행함
- 통합사례관리사는 대부분 국가 관련기관이나 단체에 소속되어 통합사례관리를 실시하는 사례관리사를 의미함.
- 통합사례관리사는 2009년부터 '사회복지통합서비스 전문요원' 명칭을 사용하다 2013년부터 '통합사례관리사'로 변경하였음. 2017년 기준 전국 시군구에 920여 명이 배치되어 있음.

---

10) 통합사례관리사업이란: 지역 내 공공·민간자원에 대한 체계적인 관리·지원체계를 토대로 복합적이고 다양한 욕구를 가진 대상자에게 복지·보건·주거·교육·신용·법률 등 필요한 서비스를 통합적으로 연계·제공하고, 이를 지속적으로 상담·모니터링 해나가는 사업(2017 희망복지지원단 업무안내 중 발췌).

ㅇ 통합사례관리사가 되는 길

- 교육 및 훈련 : 보건복지부 희망복지지원단 업무안내지침에 따른 아래의 채용기준에 준하는 자

  · 채용기준: ①사회복지사 1급 자격증을 취득한 후 사회복지분야 근무경력이 2년 이상인 자, ②사회복지사 2급 자격증을 취득한 후 사회복지분야 근무 경력이 4년 이상이고 상담관련 자격증[11]을 보유한 자, ③정신보건사회복지사 2급 이상 자격증을 취득한 후 관련 사회복지분야 또는 보건분야 근무경력이 2년 이상인자, ④간호사 면허증을 취득한 후 관련 사회복지분야 또는 보건분야 근무경력이 2년 이상인자

- 필요(혹은 도움이 되는) 자격증 등
  · 필요자격증: 사회복지사(1,2급), 정신보건사회복지사(2급), 간호사 중 1개 이상
  · 도움이 되는 자격증: 청소년상담사, 건강가정사, 요양보호사, 직업상담사, 상담사(성폭력·가정폭력 상담원 등), 치료사(미술, 운동, 인지 등), 컴퓨터 활용능력 자격증(워드, 엑셀 등)

ㅇ 적성 및 흥미

통합사례관리사의 직업을 갖게 된다면 우선 사람에 대한 관심이 있어야 한다. 주로 복합적인 문제에 직면한 위기가정의 자립지원을 위해 공공과 민간의 복지자원을 동원하여 다양한 서비스 및 지원을 통해 건강한 가정을 이루어 나가도록 돕는 통합복지지원이 주요업무이다. 위기가구나 가족원을 동정심보다는 전문성을 가진 조력자, 옹호자, 교육자의 역할을 담당하게 된다.

---

11) 상담관련 자격증에 심리치료 관련 자격증을 포함하되, 자격증 적합여부는 지자체가 자격증 관련 증빙서류를 확인하여 판단 할 것

두 번째는 복합적인 문제에 대한 사전 충분한 경험과 개입기술을 익혀야 한다. 상담, 회의, 기록, 네트워크 등 클라이언트, 동료, 기관실무자, 자원 발굴 등을 통해 안전한 사회안전망 구축과 자립지원입니다. 이를 위한 전문적인 기술과 경험을 봉사, 실습, 기관 실무를 통해 최소한 2년 이상 경력을 쌓으셔야 한다.
세 번째 신체적 정신적 건강입니다. 위기가족을 긴밀하게 돕고 지원함으로 꾸준한 자기관리능력이 필요하다.

ㅇ 취업을 준비하는 이에게 전하고 싶은 글

사회복지사라는 직업은 미래 유망직업 중에 꼭 들어가는 매력적인 직업이다. 사람을 돕고, 사람을 위해 일하는 사회복지사는 바로 나 자신을 돕고 나 자신을 위해 일하는 과정이기도 하다. 사람이 사람을 위해 일하는 직업 중에 사회복지사가 꽃이라고 생각한다. 여러분 지금부터 준비하고 도전하시기 바랍니다. 여러분은 아름다운 꽃이 될 수 있다.

여러분이 아름다운 꽃인 사회복지사가 되길 원한다면 여러분에게 몇 가지 당부하고 싶다.

첫째, 나는 왜 사회복지를 하려 하는가 곰곰이 생각해보고 주변 친구들과 이야기 나눠보시기 바란다. 사회복지관련 책도 골고루 읽어보고, 다양한 자원봉사에도 도전해보시기 바란다. 봉사시간을 채우기 위함이 아니라 내가 궁금하고 경험하고 싶은 봉사체험 현장을 찾아가 지속적으로 관찰하고 체험하시기 바란다. 그러다 보면 내가 왜 사회복지를 해야 하는지 답을 찾기도 한다.

둘째, 사회복지사는 좋은 사람, 착한사람이 하는 직업이 아니다. 특히 통합사례관리사는 위기가정을 돕고 지원하는 직업이다. 내가 위기대처능력이 있는지, 사람에 대해 얼마나 이해하고 있는지, 나의 강점은 무엇인지, 내게 부족한 것을 어떻게 보완할 것인지, 나에 대한 통합적인 관찰과 이해과정을 학창시절에서부터 찾아보시기 바란다.

셋째, 사회복지관련 자격증 취득 준비를 꼼꼼히 하시기 바란다. 어부가 고기 잡는 도구가 없으면 바다로 나갈 수가 없다. 아무리 사회복지를 하고 싶어도 관련한 필요 자격증이 준비되어 있지 않다면 시간이 늦어지거나 가까이 갈 수 없다. 사회복지사 자격증, 운전면허증은 필수이다. 계획을 세워 차근차근 준비하시기 바란다.

넷째 사회복지영역의 나를 성장시키는 멘토를 찾아보길 바란다. 책에서 다루지 않는 사회복지 현장의 다양한 경험과 기술이 멘토를 통해 발견할 수 있다. 멘토는 선배나, 지인 등 꼭 개인이 아니기도 하다. 봉사나 스터디모임 등 다양한 곳에서 찾아낼 수 있다. 세상에 공짜는 없다. 내가 생각하고, 실천하고, 준비한 만큼 이루어진다. 나머지가 행운이다.

여러분의 아름다운 도전을 응원한다. 저는 숲에서 여러분의 선배가 되어 언제든지 기다리고 있겠다. 사회복지현장에서 만나요.

□ 공공기관 1

ㅇ 소속 : **한국보건복지인력개발원**[12](www.kohi.or.kr) **사회복지사**

ㅇ **하는 일**

일반적인 '사회복지사'라고 한다면, 직접 클라이언트(대상자)에게 양질의 서비스를 제공하기 위해 사업 기획하고, 집행하는 업무를 수행할 것이라 생각한다. 하지만 한국보건복지인력개발원 사회복지사의 주 고객은 사회복지직공무원과 민간종사자이다.

주요 역할로는 정부 복지정책을 전파하고, 복지전달체계의 원활한 수행을 위해 교육과정을 기획하고 직접 운영하는 업무를 맡고 있다. 쉽게 말해 학교와 같은 '교육기관'이라고 생각할 수 있다.

직접 사회복지서비스를 전달하는 업무를 하진 않지만 복지서비스의 중복과 누락을 방지하고 보다 효과적으로 전달 될 수 있도록 양질의 교육과정을 기획하는 것이 최우선이며, 매년, 매순간 변화

---

12) 저자 주: 한국보건복지인력개발원은 특별법인 「한국보건복지인력개발원법」에 의해 설립·운영되고 있으며, 법상 설립 목표는 다음과 같다.
'한국보건복지인력개발원을 설립하여 보건복지에 관한 교육·훈련 등의 업무를 수행하게 함으로써 보건복지 관련 업무에 종사하는 자 등에게 전문성을 높이는 기회를 제공하고 보건복지 분야의 발전을 도모하여 국민의 삶의 질 향상에 이바지함을 목적함'

되는 복지정책과 사회이슈를 먼저 습득하고 교육과정에 반영될 수 있도록 스스로 역량개발 하는 것 또한 큰 업이라고 생각한다.

한국보건복지인력개발원은 기관명을 보면 알 수 있듯이 사회복지 분야 뿐만 아니라 보건영역도 함께 다뤄지고 있으며, 보건복지부 산하 준정부기관으로 지정되어있다.

ㅇ 되는 길

- 교육 및 훈련

보건복지인력개발원에서 필수로 이수 할 교육훈련 기준은 없다. 다만 NCS기반 채용시험(필기, 면접)이 존재하기 때문에 사전에 염두하고 준비하는 것이 바람직하다.

보건복지 분야의 대표 교육기관으로 정책에 대한 사회적 이슈와 국내의 사회복지전달체계흐름 등을 숙지한다면 +@가 될 수 있다. 이를 습득하기 위해는 정부국정과제, 각종 정책 보도자료, 보건복지부의 동향 등을 미리 파악하는 것이 관건이다. 물론, 기관의 비전과 최근에 진행된 사업을 살펴보고, 향후 동향을 파악하는 것이 최우선이다.

- 필요(혹은 도움이 되는) 자격증 등

국가직무능력표준(NCS)에 기반을 두는 채용절차를 진행하고 있기 때문에, 철저하게 직무능력 중심 채용이다.

따라서 사회복지사 1급, OA자격증, 영어성적 등 필수로 취득해야하는 자격기준이 명시되어 있진 않다. 우대사항으로 사회복지학과 출신자, 사회복지분야 기관 업무 경험자가 될 수 있다.

ㅇ 적성 및 흥미

교육기관에서 근무하기 위한 적성은 뚜렷하다.

무엇보다 사람들 앞에서 자신의 이야기를 할 수 있는 자신감이 필요하다. 교육운영은 결코 혼자만의 행정적 업무가 아닌 만큼 많은 사람들 앞에 서는 것이 두렵다면 어려움을 겪을 수 있다.

또한, 교육 기획과 섭외를 위해서는 많은 현장전문가를 만나게 된다. 전문가와 의논하고 원하는 정보를 얻기 위해서는 전문가 수준까진 아니더라도 스스로 그 분야에 대해 사전 학습이 반드시 필요하기 때문에 공부하는 자세도 필요하다.

위와 같은 '발표력', '지속적인 자기개발'을 선호하는 이라면 충분히 흥미로운 직장이 될 수 있다.

ㅇ 취업을 준비하는 이에게 전하고 싶은 글

사회복지영역에서의 취업은 분야를 정하고 준비하는 것이 가장 중요하다고 생각한다.

다양하고 넓은 사회복지영역에서 자신이 잘할 수 있는 분야, 스스로 발전 가능한 분야, 보람차고 일에 대한 열정과 자부심을 찾을 수 있는 분야라면 항상 긍정적인 생각으로 과감하게 도전했으면 한다.

〈 도움이 되는 책 추천 〉

사회복지 글쓰기교육 쉽게 기획하기

'복서원(福書院)' 기획과 운영사례

윤재호 저, 부크크, 2018

'복서원'은 '복지를 쓰는 (공공의)울타리'란 이름으로 정의하였다. 그 뜻을 풀어보면 '공공(公共)의 이익을 위해 복지에 대한 글을 쓰는 곳'이다.

사회복지전담공무원들의 업무가 시작된지 약 30여년이 지났음에도 불구하고, 그들의 현장을 이해하기 위한 자료가 부족하여 업무노하우가 전해지지 않는 경우가 많다. 물론 소속된 기관만의 특별한 노하우가 있을 수 있지만, 내가 지금까지 봐 왔던 공무원들은 대부분 전임자가 만들어 놓은 공문이나, 관련 업무 인수인계를 보며 1~2일 안에 업무를 파악하여 집행해야 한다.

공무원의 경우 짧게는 6개월에서 길게는 2년 정도에 1회 이상은 업무가 전환되는 경험을 겪게 되는데, 이러한 점 때문에 업무가 연속되어 공유되지 않고 있다고 생각했다.

그런 현장의 시행착오를 줄이고자 '복서원'이 기획되었다.

한국보건복지인력개발원에서 사회복지사로 근무하며 사회복지가 보다 잘 실천될 수 있는 고민을 하며 기획된 교육에 대한 설명이다. 공공기관의 성격에 맞는 업무는 다양하게 주어진다. 업(業)이 '사회복지'임에 따라 그에 맞는 일을 그 자리에서 조금씩 하다 보면 사회복지사로서의 역할을 수행할 수 있을 것으로 생각된다.

□ 공공기관 2

ㅇ 소속 : **국민건강보험공단 노인장기요양보험 담당 사회복지사**

ㅇ 하는 일

국민건강보험공단에서는 2008년 7월부터 노인장기요양보험을 운영 및 관리해 오고 있다. 노인장기요양보험은 만65세 이상 또는 만65세 미만자 중 노인성 질환을 가지고 있는 대상자의 경우 이용 가능하다. 노인장기요양보험과 관련하여 공단은 역할은 다음과 같다.

1. 장기요양보험가입자 및 그 피부양자와 의료급여수급권자의 자격관리 2. 장기요양보험료 등의 부과·징수 3. 장기요양인정 신청인에 대한 조사 4. 등급판정위원회의 운영 및 장기요양등급 판정 5. 장기요양인정서의 작성 및 표준장기요양이용계획서의 제공 6. 장기요양급여의 관리 및 평가 7. 수급자에 대한 정보제공·안내·상담 등 장기요양급여 관련 이용지원에 관한 사항 8. 재가 및 시설 급여비용의 심사 및 지급과 특별현금급여의 지급 9. 장기요양급여 제공내용 확인 10. 장기요양사업에 관한 조사·연구 및 홍보 11. 노인성질환예방사업 12. 자산의 관리운영 및 증식사업 13. 장기요양급여의 제공기준을 개발하고 장기요양급여비용의 적정성을 검토하기 위한 장기요양기관의 설치 및 운영 14. 그 밖에 장기요양사업과 관련하여 보건복지부장관이 위탁한 업무

ㅇ 되는 길

- 교육 및 훈련 : 노인장기요양보험운영과 관련하여 국민건강보험공단의 업무는 상기 내용과 같이 방대하다. 그래서 다양한 전문성이 필요하다. 하지만 현재 사회복지학을 전공하고 있다면 전공 필수 교과목은 노인장기요양보험 운영과 관련하여 크

게 도움이 된다는 점을 알려주고 싶다. 그리고 대국민 서비스 제공이라는 점을 감안한다면 상담에 대한 경험 또는 지식이 도움될 것이다.

- 필요(혹은 도움이 되는) 자격증 등 : 사회복지학을 전공하는 학생이라면 사회복지사 2급 이상 자격증이 있어야 지원이 가능하다. 공단은 준정부기관임에 따라 한글워드, 엑셀, 파워포인트 등을 이용하여 업무를 수행하는 경우가 있기 때문에 관련 자격증이 있다면 업무에 도움이 될 것 같다. 그 외 취업과 관련하여 가산점을 주는 자격증은 채용공고에서 확인 바란다.

ㅇ 적성 및 흥미

공단은 대국민서비스를 제공하는 기관이기 때문에 그 자체에서 상당한 보람을 느낄 수 있다. 간단한 예를 든다면, 공단은 노인장기요양보험을 이용하는 대상자에게 지속적으로 서비스 매니지먼트를 제공하고 있다. 이런 서비스를 제공하다보면 업무담당자는 서비스대상자가 시간이 지나면서 점점 신체건강, 인지기능의 회복 및 생활수준의 향상 등을 관찰할 수 있다. 이럴 때 업무 담당자로서 상당한 보람을 느낄 수 있다.

ㅇ 취업을 준비하는 이에게 전하고 싶은 글

공단에 취업을 희망하고자 하는 학부생이라면 사회복지학에 대한 이해가 필요하다. 학부에서 사회복지전공과목을 공부할 때 '도대체 이걸 왜 배우고, 이걸 어디에 써 먹을 수 있을까' 라는 생각을 할 수도 있다. 하지만 사회에 나가보면 이런 생각이 든다. '이럴 줄 알았으면 그때 더 열심히 할 것을...'. 정말이다. 현재 학부생으로서 해야 하는 학업에 집중할 필요가 있고, 봉사활동 등 다양한 경험을 할 필요가 있다. 그리고 사회에 대한 관심을 갖고 관련하여 잘 모르는 부분에 대한 개인적인 공부를 할 필요가 있다. 매일 우리 사회와 관련된 신문 기사 하나를 반드시 읽고, 거기에 대한 핵심내용 정리, 비판, 대안을 제시하는 습관을 매일 4년 동안 한다면 당신은 어떤 분야의 준전문가가 되어 있을 것이다.

< 노인장기요양보험 제도>

주요 선진국들은 노인의 장기요양에 대한 문제를 개인의 문제로만 생각하지 않고, 사회적 문제로 인식하고 공동으로 대응하고 있다. 한국도 마찬가지로 사회적 문제로 인식하고 사회보험방식으로 운영되고 있다. 노인장기요양보험제도는 건강보험제도와는 별개의 제도로 도입·운영되고 있으며 보험자 및 관리운영기관을 국민건강보험공단으로 일원화하고 있다.

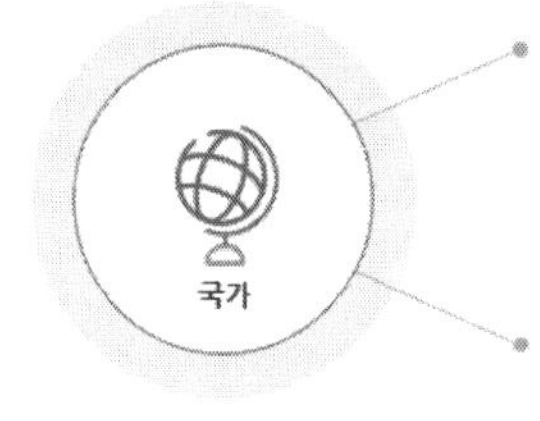

사회보험방식

한국(+조세),독일,헝가리,일본(+조세), 스위스(+조세), 미국(Medicare),네덜란드,룩셈부르크

조세방식

오스트레일리아,오스트리아,캐나다,아일랜드,뉴질랜드, 노르웨이,폴란드,스페인,스웨덴,영국,미국(Medicaid)

노인장기요양보험제도와 기존 노인복지서비스의 비교

구분	노인장기요양보험	보험 전 노인복지서비스
관련법	노인장기요양보험	노인복지법
서비스 대상	- 사회보험방식(전국민대상) - 장기요양이 필요한 65세 이상 노인 및 치매 등 노인성질병을 가진 65세 미만자	- 특정대상 한정 - 국민기초생활보장 수급자를 포함한 저소득 층
서비스 선택	수급자 및 부양가족의 선택에 의한 서비스 제공	지방자치단체의 판단
재원	장기요양보험료+국가 및 지방자치단체 부담금 + 이용자 본인부담	국가 및 지방자치단체 부담금

(출처: 노인장기요양보험 홈페이지 참고하여 작성, http://www.longtermcare.or.kr/

6. 정부보조사업(전문분야별)

□ 학교사회복지사

ㅇ 소속 : 전 중,고등학교 및 교육복지센터 소속 학교사회복지사

ㅇ 하는 일

학교사회복지사는 학교 내에서 일어나는 학생의 문제를 환경과의 상호작용의 문제로 바라보고, 「학생-학교-가정-지역사회」의 연계를 통해 예방·해결한다. 주요 업무로는 학교사회복지실 공간 운영(낙인해소를 위한 상담 및 프로그램 운영 교내 쉼터), 학생 개별 사례관리, 집단 개입(집단 활동 및 상담, 학급 개입 및 교육 프로그램), 가정 지원(가정방문, 부모상담 및 교육, 가족 캠프 및 체험활동), 학교 및 교사 지원(교사 연수, 교내 사례회의 등), 지역사회 연계(통합사례회의, 협의체 운영, 자원봉사자 연계 등)를 통해 교육의 본질적 목적 달성을 지원한다[13].

ㅇ 되는 길

- 교육 및 훈련 : 개별 학교 및 서울시 내 지역교육복지센터, 한국학교사회복지사협회에서 진행하는 개별 및 합동 학교사회복지실습 및 자원봉사를 추천한다(학교사회복지실습은 협회 학교사회복지사자격증 취득 필수 사항).
- 필요(혹은 도움이 되는) 자격증 등 : 한국학교사회복지사협회의 학교사회복지사 자격증 취득이 도움이 된다(지자체 지원사업의 경우, 채용 필수/우대 사항). 이외 아동·청소년에 대한 이해를 위한 청소년지도사, 개별 및 집단 상담을 위한 청소년상담사 자격증 취득도 도움이 된다.

---

13) 학교사회복지사: ① 학교에서 일어나는 학생의 문제들은 개인의 문제만이 아닌 개인을 둘러싼 환경과의 상호작용의 문제로 봅니다. ②이러한 심리, 사회적 문제들을 학생·학교·가정·지역사회의 연계(방법)을 통해 예방하고 해결함은 물론, 모든 학생이 자신의 잠재력과 능력을 최대로 발휘할 수 있도록 최상의 교육환경과 공평한 교육기회를 제공합니다. ③궁극적으로는 교육의 본질적인 목적을 달성하고, 또한 학생복지를 실현(목적)할 수 있도록 도와주는 교육기능의 한 부분이며 사회복지의 전문분야입니다(한국학교사회복지사협회 홈페이지 학교사회복지의 정의 발췌, http://www.kassw.or.kr/).

ㅇ 적성 및 흥미

학교 사회복지는 아동·청소년이 주 서비스 대상이기 때문에 이들에 대한 관심이 가장 중요하다. 또한, 학교 내에서 타 전문직(교육직)과 협업하여 사회복지전문가로 근무하기 때문에 소통·협업능력도 매우 중요하다.

ㅇ 취업을 준비하는 이에게 전하고 싶은 글

학교사회복지사는 학교 내에서 타 전문직과 협업하여 사회복지를 실천하는 전문가로서, 사회복지 분야의 전문성과 더불어 학생 및 학교 체계, 교육에 대한 이해가 중요하다. 또한, 프로그램 기획 및 진행, 지역사회자원연계, 교사 연수 및 협의, 사례관리, 홍보 및 행정·회계까지 다양한 업무를 혼자 처리해야하기 때문에 사전에 사회복지에 대한 전문성과 함께 업무에 대한 교육·훈련도 매우 중요하다. 이를 위해 학교사회복지실습 및 자원봉사를 적극 추천한다.

2017년 8월 기준으로 교육부의 교육복지우선지원사업, 지자체 지원 학교사회복지사업, 민간지원사업 등으로 전체 초중고(11,602개교)의 14.5%에 해당하는 1,679명의 인력이 학교사회복지사로 근무하고 있으며, 서울의 경우 지역교육복지센터도 운영하고 있어 학교사회복지의 전망은 높은 편이다.

아동·청소년에 대한 관심이 많다면 이들의 주 생활공간인 학교에서 매일 아동·청소년을 만나며, 이들을 둘러싼 환경체계와 연계·협력하여 건강한 성장을 지원할 수 있는 학교사회복지사를 추천한다(학교사회복지사 준비에 대한 더 자세한 내용은 한국학교사회복지사협회 홈페이지 www.kassw.or.kr 참고).

< 도움이 되는 책 추천 >

학교로 간 사회복지사

박경현, 임경선 저, 공동체, 2017

『학교로 간 사회복지사』는 학교사회복지 이론에 대한 간단한 소개와 함께 학교사회복지사들의 생생한 경험담과 사례들이 제시되어 있다.

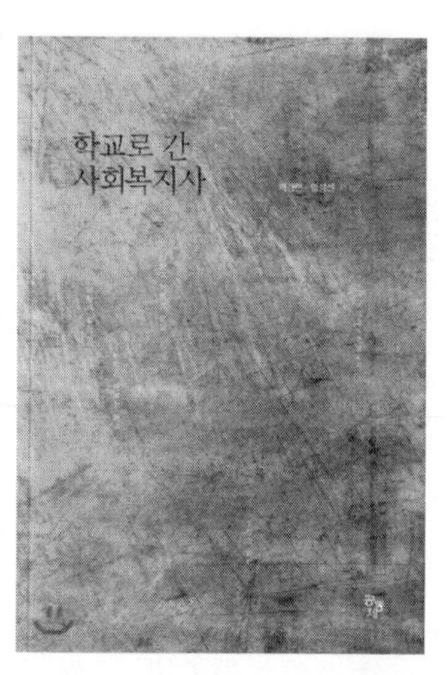

학교사회복지를 알고싶은 사람이나 예비 학교사회복지사들에게 좋은 길잡이가 될 것이다. 또 현재 학교사회복지사들이 읽는다면 각 사례들에 공감하고 자신을 돌아보아 더욱 발전할수 있는 계기가 될 것이다.

국민들의 필요(want)와 수요(need)가 다양해지면 분야별로 전문성을 갖는 사회복지사의 역할이 늘어나기 마련이다.

학교현장에서 사회복지를 공부하며 고민한 글들이 정리된 책이다. 2017년 발간된 자료이기 때문에 어느 자료보다도 학교사회복지에 관심이 있는 사람이라면 참고할 수 있을 것이다.

새롭게 시작하는 것은 항상 예산과 인력이 넉넉하지 않다. 학교라는 현장에서 사회복지업무를 하게 된다면 기존에 업무와 겹치는 부분들에 대한 보완, 타 전문분야와의 협업 등이 필요 할 것이다. 이에 대한 고민의 경험을 살필 수 있다.

안정된 직업이 무엇일까? 멋진 직업이 무엇일까? 그 답을 나는 '나 답게 사는 삶을 살 수 있는 일자리'면 된다고 생각한다. 학교에서 학생들과 함께 하는 삶을 꿈꾸는 이들이라면 책과 함께 도전해보기를...

□ 지역아동센터

ㅇ 소속 : 000지역아동센터 사회복지사

ㅇ 하는 일

지역아동센터는 방과 후 돌봄 기관으로 아동·청소년에 대한 전반적인 부분을 관리·지도한다. 급·간식 및 건강과 안전에 대한 보호영역, 기초학습 및 특기교육 활동, 캠프·체험 등의 문화역역, 아동 및 연고자상담의 정서영역, 자원봉사관리 등을 포함한 지역사회 연계활동 등 5가지 영역에 대한 활동 기획 및 실행을 통해 아동·청소년이 건강하게 성장하도록 돕는다.

- 교육 및 훈련 : 아동·청소년을 대상으로 하는 직업이니 만큼 아동·청소년에 대한 관심과 이해가 필요하다. 아동·청소년분야의 자원봉사활동을 통해 대상자를 많이 만나보는 것이 중요하다.

- 필요(혹은 도움이 되는) 자격증 등 : 아동·청소년에 대한 상담관련 자격증과 교육과 관련된 정보들을 많이 알고 있으면 좋다. 또한 응급처치와 같은 지식들도 유용하게 쓰일 때가 많다.

ㅇ 적성 및 흥미

아이들을 좋아하는 사람이 이 직업을 가지면 좋겠다. 또한 아동·청소년의 다양한 영역을 다루다 보니, 다양한 분야에 관심을 가지고 활동하면 좋다.

ㅇ 취업을 준비하는 이에게 전하고 싶은 글

'아는 만큼 보인다'라는 말을 한번쯤은 들어 보았을 것이다. 다양한 활동과 경험이 풍부한 사람이라면 그 활동과 경험이 자연스럽게 현장에 스며들게 되어 보다 즐겁고 재미있게 일 할 수 있다.

가령 지역아동센터에 취업한 A학생은 요리가 취미라서 평소 요리 동호회 활동을 꾸준히 했다면, 자신이 즐겨했던 요리프로그램을 직접 기획, 진행하여 아이들과 소통할 수 있고, 급식에 자신의 요리노하우를 반영할 수도 있으며, 지역 내 요리 동호회 인맥 등 요리프로그램과 관련된 인적·물적 자원들을 연계하여 아이들의 성장을 도울 수 있다.

복지관련 자격증을 취득하는 것은 물론 기본이지만, 자신이 좋아하거나 관심 있는 활동을 꾸준히 하고, 사회적인 관계를 넓혀나가는 것은 사람을 대상으로 하는 사회복지영역에서는 , 적어도 소규모기관인 지역아동센터에서 일을 하는 사회복지사는 더 더욱 큰 도움이 된다.

내가 경험하고 체험해본 것은 보인다. 여행을 통해 좋은 곳을 알았다면 누군가에게 추천해주고, 또 오고 싶은 것처럼 다양한 분야, 다양한 활동을 통해 자신이 사회와 교감하고, 내적으로 많이 성장하기를 바란다. 내가 긍정적인 에너지를 많이 가지고 있다면 자연스레 대상자에게 전달되기 때문에 그것이야 말로 진정한 복지라고 생각한다.

지역아동센터(http://www.icareinfo.go.kr)

지역아동센터는 보호, 교육, 문화, 정서지원, 지역사회연계 등 종합적인 복지서비스를 통해 아이들의 건강한 삶과 스스로 변화할 수 있는 용기를 만들어가는 곳으로, 「지역사회 아동의 보호, 교육, 건정한 놀이와 오락의 제공, 보호자와 지역사회의 연계 등 아동의 건전 육성을 위하여 종합적인 아동복지서비스를 제공함(아동복지법 제52조 제11항)」

1980년 민간의 공부방에서 시작하여 현재는 4,081개소 109,066명('13. 12월 기준)이 이용하는 곳으로 전국에 분포하고 있다.(출처: 지역아동센터 중앙지원단 홈페이지 참고)

9. 민간기업

□ 민간기업 사회공헌

ㅇ 소속 : SK하이닉스 사회공헌팀

ㅇ 하는 일

SK하이닉스 임직원 '행복나눔봉사단'을 조직/관리하고, 임직원과 회사가 함께 조성한 '행복나눔기금'의 운영, 사업장이 소재한 지역의 후원요청사항 검토 및 집행, NGO 파트너십 프로그램 기획 및 운영 업무를 하고 있다.

최근에는 장애인에게 양질의 일자리를 제공하고자 추진한 SK하이닉스 자회사형 장애인 표준사업장 '행복모아(주)' 설립 TF 참여하였고 사업장 준공 이후 SK하이닉스에서 관리 담당을 하고 있다.

ㅇ 되는 길

- 교육 및 훈련

사회공헌 담당자는 사회 이슈와 문제에 대한 관심을 바탕으로, 다양한 이해관계자(정부, 지자체, 복지기관, 구성원봉사자 등)의 접점에서 사업을 기획하고 실행하는 업무를 한다.

기업의 사회적 책임을 통한 사회적 가치 창출이 기업의 Biz. 성과 창출로 연결될 수 있도록 기획하고, 타 기업과 차별화된 프로그램을 실행가기 위해 기업사회공헌의 트렌드를 파악할 수 있는 컨퍼런스나 세미나 등 교육을 참석하도록 노력하고, 대외 공모전 참여나 인턴 실습을 통한 기획 및 실무 경험 함양, 학생회나 동아리 등 사회 간접 경험 등이 도움이 될 수 있어 추천하고 싶다.

- 필요(혹은 도움이 되는) 자격증 등

사회복지사 자격증이 필수 사항은 아니지만, 요즘 기업 담당자들도 사회복지사 자격증을 취득하려는 추세입니다. 공인 영어점수는 신입으로 입사할 때는 필수사항인 곳이 대부분이다.
취업하고자 하는 기업의 특성에 맞는 유사 공인 자격증을 취득하면 서류와 면접 전형에서 간접적으로 도움이 된다고 생각한다. 또한 사회복지 하나의 전공보다는 경영학 또는 홍보, 마케팅, 문화예술 등 다양한 전공을 복수로 하였을 때 입사와 실무에 도움이 되니 추천 한다.

ㅇ 적성 및 흥미

기업 사회공헌 담당자는 안정을 추구하기보다 새로운 것을 주도해서 셋업해가는 과정에서 성취감을 얻고자하는 적극적 성향, 좋은 사업 아이템이 있을 때 경영층을 설득하여 사업이 진행되면 큰 사업 예산과 규모로 복지사업을 진행 할 수 있고 그에 따른 파급효과도 큰 편이기 때문에 과감한 도전 정신도 필요하다고 생각한다.

기업의 특성상 항상 새로운 콘텐츠를 추구하는 경향이 있다 보니 창의적인 발상이 필요하고, 다양한 업무 담당자를 만나고 조율이 필요하기 때문에 가급적 외향적 성향이 업무상 도움이 되는 편이다.

ㅇ 취업을 준비하는 이에게 전하고 싶은 글

기업에서는 한정된 예산으로 이익을 추구하며 인력을 관리하기 때문에 사회공헌 직무로 기업에 신입사원을 채용하는 것은 극히 드문 일이다.

본인도 사회복지와 경영학과를 복수전공 후 기업사회공헌컨설팅 회사에서 실습을 포함한 2년간의 경력을 쌓고 경력 채용을 통해 입사했다. 이처럼 복지관/NGO/국제단체 등 사회 복지 현장에서 사회공헌 담당으로 경력을 쌓고 경력 채용 공고 시에 입사를 지원하거나, 다른 부서에 입사 후 사회공헌 담당자 사내공모를 진행할 때 지원하여 입사를 준비하는 것이 보다 현명한 방법이라고 생각한다.

함께 나는 행복날개! SK하이닉스 사회공헌활동을 소개합니다~!

NEWS/Value+ 2014.01.15

행복PLUS영양도시락, 문화재 지킴이, 행복나눔 봉사단, 찾아가는 과학교실, 희망 둥지 친환경 공부방….헥헥헥! 너무 많아서 여기까지만 말할게요! 도대체 이게 다 무엇이냐 구요? 전부 SK하이닉스의 사회공헌 활동들 이름이랍니다. 이외에도 정말 다양한 사회공헌 활동들이 있는데요, 이름만 들어도 마음이 훈훈해지는 이 뜻 깊은 활동들은 바로 '커뮤니케이션팀 사회공헌섹션에서 기획하고 운영한답니다! 그렇다면 키다리 아저씨처럼 든든한 차철인책임님, 김병훈선임님을 만나 SK하이닉스에서 펼치고 있는 다양한 사회공헌활동들이 어떻게 이루어지는지 함께 들어볼까요?

보다 자세한 활동은 하이닉스 블로그(http://blog.skhynix.com/472)에서 공개하고 있으며, 해당 블로그의 Value+를 참고하면 다양한 활동을 확인 할 수 있다.

8. 기타

□ 사회복지사협회

ㅇ 소속 : 00사회복지사협회 사회복지사

ㅇ 하는 일

사회복지사협회는 사회복지사업법 제46조에 의한 법정단체로, 사회복지에 관한 전문지식과 기술을 개발·보급하고 사회복지사의 자질향상을 위한 교육훈련 및 사회복지사의 복지증진을 목적으로 하는 사회복지사를 회원으로 둔 기관이다.

사회복지사 자격증발급과 교육훈련 및 지식·기술 개발·보급사업, 사회복지사 권익증진 및 옹호사업, 사회복지정책사업(사회복지사처우개선 및 자격증 제도 개선 등), 사회복지관련 전문가단체와의 대외협력사업, 회원서비스제공사업 등 사회복지사와 사회복지의 실천기반 조성을 위한 사업들을 하고 있다.

ㅇ 되는 길

- 교육 및 훈련 : 무엇보다 사회복지사협회는 변화되는 사회복지실천현장에 대한 민감성을 가지고 그에 대한 초기대응조직이 되어야 한다. 때문에, 법과 제도의 변화 상황과 더불어 전체적인 사회복지시설·기관의 체계에 대한 이해를 높여야 한다. 직능별·기능별·부처별 등 다양한 실천현장에 대한 이해와 각 실천현장에서의 사회복지사의 역할과 근무환경 등에 대해서도 학습할 필요가 있다.

  하나 더 말하자면, 많은 사회복지사를 만나서 이야기를 나눠보는 것이다. 혼자하기 힘들다면 동아리활동으로 진행하면 좋다. 교수님이든 선배님이든 다양한 경로를 통해 다양한 사회복지사를 만나 실천현장의 이야기와 경험자의 이야기를 듣고 정리한다면 훈련이 될 것이다.

- 필요(혹은 도움이 되는) 자격증 등 : 필수자격증이라 할 수 있는

사회복지사 자격증이다. 또한 사회복지사 및 사회복지와 관련된 조사연구를 통해 통계자료나 정책제안의 기초자료를 만드는 역할도 필요하기 때문에 조사를 수행해 분석, 보고하는 사회조사분석사14) 자격증이 있다면 도움이 된다.

o 적성 및 흥미

사회복지 직접실천보다 정책이슈에 관심이 많고 사업기획에 흥미를 가지고 있다면 적성에 맞는다고 본다.

또한 어떤 상황을 조사하고 분석하여 정립하는 것을 좋아한다면 사회복지 정책제안이나 사회복지 관련 조사연구 업무를 하는 사회복지사협회 업무가 적성에 맞을 것이다.

o 취업을 준비하는 이에게 전하고 싶은 글

먼저 '나'부터 잘 알아야한다. 내가 어떤 사람인지 파악이 되어야 어떤 '업(業)'을 할 것인지 알 수 있다. 나를 알아가는 방법은 나에게 다양한 환경에 접하게 하는 경험의 기회를 주고, 내가 어떻게 상호작용하는지 알아보기 위해 다양한 조직과 사람들을 만나보는 것이다.

취업을 '내가 이루어내고자 하는 일'을 발견하는 것이라 생각하면 좀 더 '업(業)'에 대한 개념이 확장되지 않을까 싶다.

---

14) 사회조사분석사(Survey Analyst) 사회조사분석사란 다양한 사회정보의 수집·분석·활용을 담당하는 새로운 직종으로 기 업, 정당, 지방자치단체, 중앙정부 등 각종 단체의 시장조사 및 여론조사 등에 대한 계 획을 수립하고 조사를 수행하며 그 결과를 분석, 보고서를 작성하는 전문가이다. 지식 사회조사를 완벽하게 끝내기 위해서는 '사회조사방법론'은 물론이고 자료분석을 위한 '통계지식', 통계분석을 위한 '통계패키지프로그램' 이용법 등을 알아야 한다. 또, 부가적으로 알아야 할 분야는 마케팅관리론이나 소비자행동론, 기획론 등의 주변 관련분야로 이는 사회조사의 많은 부분이 기업과 소비자를 중심으로 발생하기 때문이다. 사회조사분석사는 보다 정밀한 조사업무를 수행하기 위해 관련분야를 보다 폭넓게 경험하는 것이 중요하다(출처: http://www.q-net.or.kr/).

□ **대학교수**

ㅇ 소속 : 00대학교 사회복지학과 교수

ㅇ 하는 일

대학의 사회복지학과 교수는 사회복지분야에서 일하고자 하는 학생들에게 사회복지 전공 교과목을 통해 해당 분야의 지식을 제공하여 학생들이 예비 사회복지사로서 역량을 갖추도록 교육하며, 또한 자신의 전공분야와 관련하여 진행하는 연구를 바탕으로 사회복지 실천현장, 기관 행정, 지자체 및 국가 정책의 개선과 발전을 위해 지속적으로 교류, 자문하는 역할을 한다.

ㅇ 되는 길

- 교육 및 훈련 : 대학의 교수로 취업하기 위해서는 우선 학부 졸업 후 석사, 박사학위과정을 이수하여야 한다. 보통 석사학위과정은 2년, 박사학위과정은 사람마다 다르지만 3~5년 정도의 기간이 소요된다. 석·박사 학위과정으로의 진학에서 중요한 점은 자신이 전공하고 싶은 분야의 연구가 이루어지고 있는 대학(혹은 교수진)을 선택하는 것이며, 대학원 과정에서는 수업 외에도 연구프로젝트 등 다양한 연구 및 현장 경험을 쌓는 것이 중요하다.
- 필요(혹은 도움이 되는) 자격증 등 : 교수직 채용의 기본조건은 대학이 요구하는 해당(세부) 전공분야와 관련된 교육경력, 연구경력이며, 현장실무경력을 요구하는 경우도 있다. 특히 자신의 전공분야와 관련한 탁월한 연구실적을 갖추는 것이 가장 중요하다.

ㅇ 적성 및 흥미

교수는 '연구자'이면서 '교육자'이기 때문에 '연구(research)'와 '교육(teaching)'에 흥미와 적성이 있는 것이 좋다. 특히 최근의 대학

환경은 교수에게 '수업' 외에도 학생의 '입학-대학생활-졸업 후 취업'에 이르는 전 과정에서의 적극적인 역할을 요구하고 있어 학생들을 만나고, 그들의 삶에 관심을 갖고 함께 변화를 만들어내는 일에 즐거움을 느낀다면 더욱 좋다. 또한 교수는 '연구자'로서 우리 사회의 다양한 사회현상들, 그리고 이것이 사람들의 삶에 미치는 영향에 대해 질문하고, 그 질문에 대한 답으로 개인의 삶과 집단, 조직, 사회의 변화에 기여할 수 있는 지식을 생산하는 일을 끊임없이 지속할 수 있어야 하므로, 대학원 과정을 통해 연구자로서의 흥미와 적성을 확인하는 것이 중요하다.

ㅇ 취업을 준비하는 이에게 전하고 싶은 글

개인적인 경험을 이야기하자면, 학부 때 '의료사회복지사'가 되고 싶다는 막연한 꿈을 갖고 대학병원 '의료사회사업실'에서 실습을 하였고, 실습기간 중 병원비가 없어 힘들어하는 환자 가족을 위해 사회복지사가 활용할 수 있는 자원이 너무도 취약함을 보고, '사회복지정책'을 공부해서 복지재원의 확대에 기여하는 사람이 되고 싶다고 생각하여 대학원에 진학하였다. 그저 '사회복지학'에 매력과 사명을 느끼고 내딛은 발걸음이 모여 현재의 내가 되었음을 돌이켜볼 때, 미래에 대한 막연한 두려움보다 현재 나에게 주어진 일, 나에게 던져진 고민에 진지하게 반응하며 한걸음을 내딛기를, 그러면 그 한걸음들이 모여 자신이 생각했던 꿈에 다가가 있을 것이라고 생각한다.

< 도움이 되는 책 추천 >

대학교수 되는 법

Washida Koyata(鷲田 小彌太) 저, 생각의 나무, 2003

"연구자가 되는 데 공인회계사나 1급 건축사와 같은 특별자격은 필요없다. 연구직 관련 구인이 있고 거기에 채용되면 일단 당신은 연구자인 것이다. 여러분 집에 재산이 있어서 스스로 연구자금을 조달할 수 있다면 누군가에게 채용되지 않은 채 자신의 노력 여하에 따라 연구자가 될 수도 있다. 하지만 독학으로 연구자가 된다는 것은 상상하는 것 이상으로 어렵다는 사실을 잊지 말아야 한다.

결국 자격요건이 필요 없는 쪽이 오히려 성가신 편이다. 자격요건에 따라 일정한 단계를 밟아 올라가면 회계사나 건축사가 될 수 있는 경우와는 달리, 연구자란 본인만의 노력으로 결정할 수 없는 요소가 많다. 하지만 어떠한 코스를 밟을지라도 연구자가 되는 것을 결정해 주는 필수조건은 바로 당신의 열의와 노력이라고 단언할 수 있다. 채용과정에 우연이 작용해서 연구자가 되었다고 하더라도 연구자로서 살아가기 위해서는 끊임없는 노력이 뒤따라야만 한다(p.78. 출처 : www.yes24.com)."

일본에서 대학교수가 되는 방법을 추천하고 있다. 자기가 관심을 갖고 있는 주제를 갖고 끊임없이 연구하다 보면 언젠가는 그 분야의 연구자가 되고, 대학교수를 직업으로 얻게 될 수 있다는 것을 설명한다. 『대학의 몰락』(서보명, 2011, 동연출판사)를 보면 설명되어 있지만, 자본에 의해 침식되어 가는 대학은 가고 있는 길이고, 그 안에서 대학교수의 역할 혹은 대학교수에 대한 요구가 연구만을 할 수 없도록 만들지도 모르기 때문에 이를 고민 해 봐야 한다.

□ 국회

ㅇ 소속 : 국회 보좌관(국회 보건복지위원회[15])

ㅇ 하는 일

시민의 투표로 선출된 시민대표인 국회의원은 4년 임기 동안 입법, 재정, 국정일반, 외교에 관한 권한을 통해 의정활동을 할 수 있다. 입법은 주로 법률의 제·개정, 조약의 체결·비준 등의 활동이고, 재정은 예산·결산·기금 등의 심사 활동이다. 국정 일반에 대한 감사·조사의 권한이 이고, 국제외교 활동을 할 수 있다. 국회의원 보좌진은 국회의원의 이러한 활동 전체를 보좌하는 역할이다. 20대 국회(2016~2019년)를 기준으로 국회의원 1인당 총 10인의 보좌진(4급 보좌관 2인·5급 비서관 2인, 6·7·8·9급 비서 각 1인, 인턴 2인)을 둘 수 있고, 지역구 의원은 지역에서 활동할 보좌진 2인을 추가로 둘 수 있다.

국회에서 보좌진이 하는 일은 크게 정책과 정무 기능으로 나뉜다. 정책분야는 국회의원이 맡은 상임위원회, 이를 테면 보건복지위원회, 환경노동위원회 등 관련 행정기관의 정책을 감시하고 관련 분야 이슈를 발굴하여 시민들의 삶과 가까운 정책과 제도를 펼쳐내도록 독려하는 일이다. 정무분야는 크게 보면 현안문제의 해결, 정당의 목적달성, 국회의원으로서 책무 달성 등을 위해 국회의원의 정치적인 행보를 전략적으로 배치하는 일이다.

장애인복지법 개정 작업을 예로 들어보면,

장애인복지법의 개정안을 작성하고, 관련 단체와의 간담회 자료·보도자료 작성, 해당 상임위의 발언내용 작성 등 주로 정책적 내용을 생산하는 일이 정책분야이다. 반면 주요 이슈에 대해 논의할 단체를 섭외하고, 간담회나 가자회견, 법 개정과 관련한 상임위원

15) 국회 보건복지위원회 홈페이지 : http://health.na.go.kr

회의 다른 의원을 만나 개정내용을 설명하는 일정 등 법 개정을 위한 일련의 활동을 기획하고 배치하는 일이 정무분야의 일이다.

의원실에 따라 정책과 정무가 명확하게 나뉘어 활동하는 곳도 있고, 두 영역에 대한 역량을 모두 갖추기를 요구하기도 한다.

ㅇ 되는 길

- 교육 및 훈련 : 사회적 현상에 대한 문제인식과 대안을 찾는 능력이 요구된다. 일간지와 주간지, 각종 뉴스 등을 매일 접하고, 각 사안에 대한 입장을 가지는 훈련이 필요하다. 현장에서 정책이 정책 당사자에게 어떻게 전달되고 있는지, 본래 기획의도대로 추진되고 있는지를 점검해보는 등 현장의 경험도 실제 입법에 도움이 된다.
- 필요(혹은 도움이 되는) 자격증 등 : 국회보좌관이 되기 위한 별도의 자격증은 없다. 국회의원 보좌진은 국회 홈페이지, 해당 국회의원 홈페이지 등을 통해 공개채용하기도 하지만, 많게는 경력이 있는 보좌진을 정당이나 관련 분야 전문가 등을 통해 추천 받고 면접 등을 통해 임용한다. 국회에 대한 경험이 없으면 즉각적으로 많은 이슈를 처리하기에 어렵기 때문에 경력자에 대한 취업기회가 훨씬 많다고 볼 수 있다. 그럼에도 불구하고, 최근에는 인턴 제도를 통해 많은 청년들이 국회를 경험하고 있다. 국회 생활에 관심 있는 사람이라면, 인턴제도를 활용해보길 바란다.

ㅇ 적성 및 흥미

사회복지 실천기술 보다는 사회구조와 사회복지정책에 대한 관심이 있는 사람들에게 추천한다. 특히 사회복지는 실천학문이기에 현장의 욕구를 정책으로 잇는 감각이 매우 중요한데, 문제해결을 위한 대안적 활동에 관심 있는 사람이라면 즐겁게 일할 수 있을 것이다. 다만, 노동 강도가 매우 강하다. 보좌진으로 일하는 기간 동안은 개인 사생활을 갖기 어려울뿐더러 시시각각 변하는 정치 상황에 대응하기 위해 늘 대기하는 업무 스트레스가 상당하다.

ㅇ 취업을 준비하는 이에게 전하고 싶은 글

국회에서 일한다면 왠지 거창하게 보일지도 모르겠다. 국회도 하나의 현장이다. 실제 국회에서 일하면서 현장 사회복지사로서의 경험이 많은 도움이 되었다. 현장을 모르고 정책의 문제를 제대로 짚어내기 어렵고, 또 대안을 제시할 수 없다. 사회복지는 실천학문이기에 더더욱 현장이 중요하다. 또한 사회문제 전반에 관심이 없다면, 국회에서 일하기 어려울 것이다. 실천현장과 사회문제 전반에 대한 관심, 사람들이 더 나은 세상을 살아갈 수 있도록 함께 환경을 만들고 지원하는 일이라고 생각해야 할 것이다. 문제도, 답도 늘 사람들의 삶 속에 있다는 사실을 상기하며.

< 도움이 되는 책 추천 >

국회의원보좌관

정치에 적극 참여하고 싶다면

이상현 저, 토크쇼, 2016

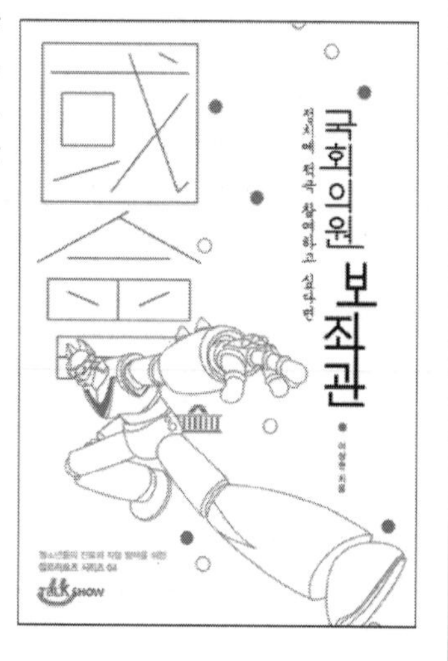

더 나은 세상을 꿈꾸는, 스스로 사회를 변화시키고 싶은 청소년들에게 이상현 보좌관이 자신의 직업을 제안한다. 구체적으로 하는 일은 무엇이고, 되는 방법, 보좌관이 되면 좋은 점, 연봉까지 보좌관에 대해 궁금한 점을 알려준다.

국회의원보좌관이 내 직업이 된다면?

국회의원이 하는 모든 일을 보좌해요. "크게 보면 국회 관련 업무와 선거 관련 업무 그리고 지역구 관리 업무로 나눌 수 있어요. 국회 관련 업무는 상임위원회와 국정감사, 예산·결산 심사, 인사청문회 등에서 국회의원이 발언하고 확인할 내용을 정리하는 일입니다. 그리고 새로운 법안을 만들거나 기존 법 개정안을 입안하는 입법 활동도 지원합니다.

선거 관련 업무는 선거 전략을 세우고 공약을 개발하는 일부터 유세문 작성, 현수막 제작, 언론 인터뷰 등 실무에 이르기까지 다양합니다. 그리고 지역구 관리는 지역민의 각종 민원을 해결하고 주요 행사 참석, 후원회 조직 관리 등 세세한 일까지 챙기는 일이에요."

글쓰기 능력은 필수예요."일단 사회를 바라보는 심층적인 시각이 있으면 너무 좋겠죠. 그런데 필수적이라고 생각하는 것은 글쓰기 능력이에요. 글쓰기라는 게 기본적으로 본인의 생각이 반영되는 거잖아요. 기능적으로 접근하기보다는 사람과 사회를 바라보는 시각이 심화될 수 있게 호기심을 잃지 않았으면 좋겠어요. 호기심을 잃지 않으면 사람과의 대화 속에서 많이 배울 수 있어요.

□ 시민단체

o 소속 : 인천녹색연합 부설기구 '생태교육센터 이랑[16]'

o 하는 일

시민단체 활동가는 환경보호, 여성, 장애인, 아동, 권력 감시, 보건의료, 마을, 문화예술, 노동, 교육 등 다양한 분야의 각 시민단체 성격에 따라 자신이 속한 곳의 이슈에 맞는 사회공익실현을 위해 일한다. 시민단체에서 일하는 사람을 보통 '시민단체 활동가'라고 부른다. 각 단체의 성격에 따라 사회문제 발굴, 문제제기, 다양한 단위와 해결방안을 모색하는 등 사회문제 해결에 관한 운영 전반의 모든 활동을 수행한다(조사, 연구, 기획, 평가, 보도자료 및 성명서 작성, 기자회견, 집회, 간담회, 모금, 홍보, 시민교육, 회원모집 등).

o 되는 길

- 교육 및 훈련

나는 대학기간 동안 진로탐구를 위해 본부녹색연합과 인천녹색연합에서 1년간 자원봉사활동을 했는데 활동가들을 직접 만날 수 있고, 관련 영역에 내가 직접 참여할 수 있어서 단체를 이해하는데 큰 도움이 되었다. 단체에 대한 이해뿐만이 아니라 '나'란 사람에 대해서도 알 수 있다.

본인이 관심 있는 단체가 있다면 그곳에서 자원봉사활동이나 인턴 활동을 해보기를 추천한다(사회복지 관련 영역에서는 사회복지정보원에서 실시하는 '사회복지캠프', '복지순례', '광산지역사회사업활동'에 참여했는데 이 활동 또한 시민단체 활동에 큰 도움이 되고 있다. 꼭 시민단체 활동이 아니더라도 다양한 영역에서 경험과 지식을 쌓는 것은 매우 중요하다).

- 필요(혹은 도움이 되는) 자격증 등

---

16) 생태교육센터 이랑(https://blog.naver.com/ecoeduirang) : 생태교육센터 이랑은 2014년 5월 소만절기에 창립되어 생명사랑 생명감수성을 바탕으로 한 생태교육기관으로 생태안내자교육, 생태심화교육을 통해 현장생태교육자들과 함께 생태교육을 고민하고 계획하며 계양산 생태교실, 무지개 숲학교의 숲체험 교육으로 지역사회의 초중고 아이들과 지역아동센터, 장애인 복지관, 장애인 공동생활가정 구성원들과 소통하고 있다.

특별히 필요한 학력이나 자격증이 있는 것은 아니다. 필수는 아니지만 성공회대학교나 경희대학교 등에서 NGO학과를 개설하여 관련 전문성을 취득하도록 하는 곳도 있는데 활용하면 도움이 되겠다. 또한 각 단체에서 개설하는 교육과정도 들어보면 도움이 된다.

ㅇ 적성 및 흥미

사회문제에 대한 문제제기, 대안모색을 하며 시민들을 만나는 작업을 주로 하기 때문에 기본적으로 '사회'와 '사람'에 대한 관심이 있는 사람들이 활동가로 일할 수 있다. 사회문제에 대한 연구, 조사능력이 필요하고 사람을 만나는 작업이 많기 때문에 다양한 사람에 대한 이해와 열린 마음, 친화력 등이 필요하다.

단체 성격과 관련된 사업을 기획하고 진행하는 작업을 직접 하기 때문에 주체성, 기획력, 실행력, 리더십도 필요하다. 또한 시민단체는 공익실현을 목적으로 하는 비영리조직이므로 사익보다는 공익추구에 대한 강한 욕구, 윤리의식도 중요하다.

ㅇ 취업을 준비하는 이에게 전하고 싶은 글

학부시절에 환경단체에 관심을 가지며 환경단체 활동도 넓은 의미의 '환경복지'란 생각을 했다.

공익을 위한 비영리조직이라는 점에서도 사회복지 분야와 크게 다르지 않다. 좀 더 역동적이고 자유롭게 사회와 사람을 만나고 싶은 사람이라면 시민단체에서 본인의 기량을 펼쳐보는 것도 좋겠다.

< 도움이 되는 책 추천 >

그린잡(Green Job)

미래를 여는 녹색직업을 만나다

박경화 저, 양철북, 2016

자신만의 기준으로 진로를 선택한 녹색직업인 15명의 이야기

『그린잡』은 건강한 생태와 공존을 지향하는 녹색직업인 15명의 좌충우돌 인생 드라마를 다루고 있다. 우리나라의 대표적 고래 전문가로 돌고래 제돌이 구출의 주역인 김현우, 산양 복원 전문가 조재운, 국제 슬로푸드한국협회의 사무국장 윤유경, 그 밖에도 국내 환경운동가 최초로 유엔 직원이 된 유엔 환경담당관 남상민, 서해 섬 지킴이 환경운동가 장정구, 낡은 물건을 멋진 작품으로 다시 탄생시키는 에코디자이너 김태은, 네팔 여인들 고유의 수공예 기술을 살려 이들의 자립을 돕는 공정무역 사업가 이미영, 환경운동에 대한 생각을 자유롭게 실천하는 환경운동가 장정구 등 모두 열다섯 직업인들의 발랄하고 통쾌한 인생 보고서이다.

저마다 하는 일은 달라도 행복하게 일하는 직업인들의 이야기를 읽다 보면, 이렇게 다양한 녹색직업이 있구나, 이 일을 하려면 어떻게 준비해야 하고, 일하는 기쁨과 보람 그리고 어려움은 무엇이구나 하는 공감과 탐색의 시간을 갖게 될 것이다. 진로와 직업을 새롭게 디자인하려는 독자라면 누구나 이 책을 통해 좋은 영감을 얻을 수 있을 것이다(출처: www.yes24.com 참고하여 작성).

자연과 공생하는 방법에 대해 관심있는 사람들이 자신의 일을 찾고 살아가는 이야기가 담겨져 있다. 'Green'이라는 주제가 아닌 내가 좋아하는 주제를 설정하여 스스로의 일(業)을 찾아가는 고민을 해 볼 수 있는 책이어서 추천한다.

제4장 사회복지를 공부하는 학생들에게

20대는 많은 고민과 즐거움을 찾아가는 나이다. 즐거움을 찾는 것이라 함은 인생에 대해 '희망(希望)'을 갖는 것이라고 생각한다.

'자살을 왜 할까?'라는 생각을 해 본적이 있다. 여러 이유가 있었지만, 답은 '희망'이라고 생각했다. 기대하는 것을 꿈꾸는 희망이라는 단어는 삶에 있어 어쩌며 가장 중요한 것이 아닌가 생각했다.

일자리를 찾는 것 또한 '희망'을 찾는 것이라 생각한다.

자기가 갖고 있는 삶의 목표를 달성하기 위한 '희망'을 실현하는 과정에 만나는 것이 일자리인 것이다. 이러한 삶의 '희망'에 대해 고민할 때가 20대였다.

오른 쪽 사진은 '살아가는 이유'를 고민하던 21살에 결정한 삶의 이유다.

우선 원(圓)을 긋는다. 원의 이유는 삶은 상대적이라는 의미이다. 사회성이 높은 사람일수록 상대방에 따라 영향을 더 많이 받는다. 서로 간에 비교하며 성장하기도 하고 기뻐하기도, 슬퍼하기도 한다. 비교는 타인에 의해서 이뤄지기도 하고 자신의 결정에 따라 이뤄지기도 한다. 이 비교하는 것에서 원을 생각했다.

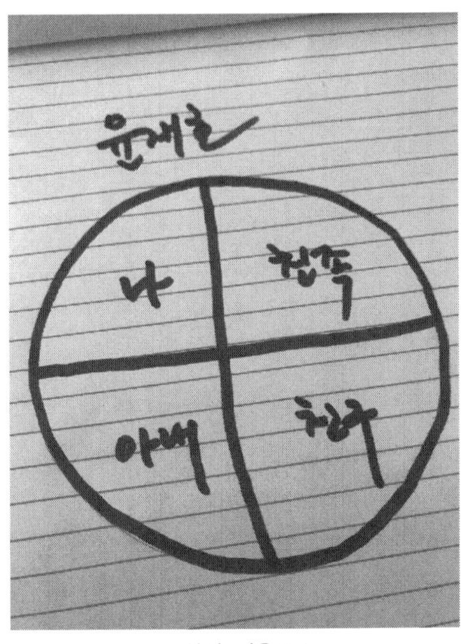

< 삶의 이유표 >

출발점은 정해져 있지 않다. 시작하는 곳이 출발인 것이고 멈추는 곳이 종착점인 것이다. 한 바퀴가 돌아서 제자리로 올 수도 있고, 멈추고 시작하는 것이 아니라 계속 흘러 지나가는 것이다.

그런 인생을 바탕에 원을 두고 왜 사는지가 아닌 '왜 살아야 하나?'에 대해 고민 해 보았다. 그럼에도 결국은 제자리로 돌아오게 된다.

이러한 인생의 순리를 바탕에 두고 삶의 이유에 대해 고민해 보았다. 약 보름간에 고민 끝에 찾은 결론은 '행복'이었다. 살아가는 이유를 아무리 생각해 봐도 결국은 '행복'하기 위해 산다는 것으로 귀결되었다.

그럼 '행복'을 위해서는 무엇을 해야 할까?

나는 행복하다고 느껴지는 4가지 이유가 있었다. 첫째, 내가 하고 싶은 일을 할 때 나는 행복하다고 느낀다. 둘째, 내가 하는 일을 보고 나의 친족이 즐거워 할 때 나는 행복하다고 느낀다. 셋째, 내가 하는 일을 보고 나의 아내가 즐거워 할 때 나는 행복하다고 느낀다. 마지막으로 넷째, 내가 하는 일을 보고 나의 친구들이 즐거워 할 때 행복하다고 느낀다.

고민을 하면 할수록 나는 즐거움을 찾으면 행복을 느낀다고 생각했다. 이는 21살에 생각했던 삶의 가치와 행복에 대한 기준으로, 40살인 지금에도 마찬가지로 느낀다.

내가 일자리를 찾는 첫 번째 기준이 바로 '행복'을 위함이었다. 사람은 모두 나름의 기준이 있다. 이런 기준을 설정하는 것이 보다 일자리를 찾기에 도움이 될 수 있다.

아울러 한번 정한 일자리가 정년을 바라볼 때 까지 가야하는 것도 아니고, 한번 정한 일자리에서 한 가지 일만 해야 하는 것도 당연히 아니다. 취업을 하여도 같은 직장에서 할 수 있는 일은 수없이 많다. 따라서 자기만의 기준을 정하고 일자리를 찾는 것은 취업이 된 뒤에도 새로운 일자리를 구하거나 같은 직장 안에서 일을 선택 할 때도 도움이 될 수 있다.

나는 이런 기준아래 다음의 세 가지 일자리 선택 기준을 가졌다.

첫째, 노인장기요양과 관련한 공부를 계속하며 일하고 싶다.

둘째, 목표한 급여를 받을 정도의 급여수준을 보장받는 곳에서 일하고 싶다.

셋째, 살고 있는 지역에서 일하고 싶다.

목표한 바를 모두 이루며 일자리를 찾은 것은 아니고, 지금도 가고 싶은 일자리가 있고, 하고 싶은 일이 있다. 위의 행복에 조건에 맞는지와 세 가지의 일자리 선택 기준에 맞는지 여부는 지금도 물음표이다.

그럼에도 사회복지학과 학부생부터 지금의 일자리를 구하기까지 고민했던 나의 경험을 나눠 혹시나 삶에 조금이라도 도움이 되면 좋겠다는 마음으로 다음과 같이 제언하고자 한다.

1. 사회복지 현장에 찾아 가보라

현장에 답이 있다는 말을 많이 듣는다.

현장에 접점이 있다는 말로 바꿔 말하고 싶다. 사회복지 분야는 인프라(Infra, 기반)로 대체하기가 다른 어떤 분야보다도 힘든 분야라고 생각한다.

물론 어느 정도의 인프라의 기반이 필요하지만, 결국 사회복지서비스는 사람이 제공하는 것이 주된 것이고, 그 서비스를 받고 평가하게 되는 것 또한 사람이라서 결국 사람과 사람의 접점을 찾는 것이 중요하다고 생각한다.

이를 위해 현장에 대한 이해가 필요하다고 생각한다.

현장에서는 사회복지사만 요구하지 않는다. 사회복지를 공부한다고 모든 문제를 해결 해 줄 수 있는 것도 아니다. 결국 문제해결을 위해 다른 접점을 찾아야 한다. 그것을 알기 위해, 이해하기 위해 현장이 중요한 것이다. 사회복지를 공부하면서 현장과 가까

워져야 하는 이유가 그것이다.

학부때 치료레크레이션 자격증 취득을 위해 수업을 들은 적이 있다. 사회복지학과 학생 둘과(나를 포함) 물리치료학과 학생 둘의 의견이 달랐다.

10년간 요양시설에서 걷지 못하고 시설 안에서 누워만 계신 분에게 어떤 서비스가 가장 필요하냐는 것이었다. 나는 우선 밖에 나가서 따뜻한 햇볕과 맑은 공기를 느끼게 하고, 10년은 시설의 안에서만 있었지만 시설 밖의 삶을 느끼며 희망을 가지면 좋겠다는 의견을 냈다. 반면 물리치료학과 학생은 기능의 개선을 위한 노력을 통해 삶의 변화가 필요하다는 의견을 냈다. 지금 생각해도 다 맞는 생각이라 하고 싶다. 이후 서로의 주장에 대한 논의가 더 있었지만 나 역시 그랬고 물리치료학을 전공하는 학생도 그랬지만 서로의 차이를 크게 납득하지는 못하고 논의는 끝났던 기억이 있다.

여기서 중요한 것이 관점이라고 생각했다.

지금이라면 단번에 걸언(乞言)이 나오고, 그 이후에 접점 찾는 것이 중요함을 이야기 하겠지만, 당시에는 대상자를 보는 관점의 차이가 크다는 정도로 생각을 정리했던 기억이 있다.

일반적으로 사회복지와 관련한 업무를 하며 만나는 대상자의 요구(need)와 필요(want)는 사회복지를 전공해서 해결할 수 없다. 따라서 현장의 다양한 요구와 그에 맞춘 사회복지를 공부한 사람들이 하는 업무를 이해하고, 다른 직종과의 협업을 위한 접점을 찾는 작업. 그 작업을 통해 나의 일자리에 대한 깊은 고민을 하는 작업이 필요하다고 생각한다.

학부생이라면 2~3년 후에 겪게 되는 이미 일어난 미래인 것이고, 일자리를 찾아야 하는 사람은 지금 당장의 현실을 나의 삶에 대입해 볼 수 있기 때문이다.

사회복지 현장의 업무와 그 실천 방법의 근본 철학을 쉽게 설명된 자료들을 우리는 이미 많이 갖고 있다. 책으로도 출판되었고, 인터넷에서도 공유가 되고 있다. 그 중 가장 현장의 사회복지 업무를 쉽게 이해할 수 있도록 돕는 책과 영상이 있어 추천한다.

복지 분야에는 여러 성격의 출판사가 있고, 출판활동을 하는 분들이 계시다. 그 중에서 나눔의 집 출판사17)와 푸른복지 출판사18)의 글들을 추천한다.

< 김상진(2014) 푸른복지 출판사 >

특히 푸른복지 출판사의 경우 현장의 실무자들이 책이 많이 있는데, 『대중문화로 배우는 사회복지 이야기』를 추천한다. 사회복지에 대해 잘 설명할 수 있는 방법이 없을까라는 고민으로 글을 쓰기 시작하였고, 그것을 책으로 묶게 된 책으로 사회복지를 처음 공부하는 사람들에게는 사회복지의 근본 철학을 배울 수 있는 매우 훌륭한 책이다.

---

17) 나눔의집 출판사(http://www.ncbook.co.kr) : 인권과 사회복지에서부터 사회복지정책 및 현장에 대한 다양한 글들이 출판되고 있다. 사회복지에 대해 깊게 공부하고 싶은 분이라면 나눔의집 출판사에서 추천하는 책들을 읽어보길 권한다.

18) 푸른복지 출판사(https://blog.naver.com/welfarebook) : 현장에서 실천하는 사회사업가, 사회복지사의 이야기를 단순하고 소박하게 책으로 전하는 푸른복지 출판사이다.

책을 쓰고 엮어내는 「사회복지사무소 구슬 꿰는 실(http://www.coolwelfare.org)」에서는 사회복지현장에서 글을 쓰기 위한 연수 및 모임들을 지속적으로 실시하고 있다. 사회복지사로서 글을 쓰는 마음가짐과 중요성에 대해서 매우 체계적으로 배울 수 있는 기회가 많이 있으니 참고하면 좋겠다.

아울러 현장의 사회복지사들이 본인이 하는 일과 생각을 나누는 「소셜워커ON」이라는 Naver TV의 서비스도 참고해보면 사회복지사의 업무에 대해 더 많이 이해 할 수 있을 것으로 생각한다.

http://tv.naver.com/wbcswo

사회복지사가 전하는 사회복지사에 대해 소개하는 동영상이 제공되고 있습니다. 복지TV의 프로그램으로 사회복지사들의 현장이야기가 전해진다. 본인의 시행착오도 편하게 얘기 해주고 사회복지사로서 현장에서 느끼는 고민과 성장하는 내용이 친근감있고 담백하게 소개되고 있다.

2. 리딩(Reading)으로 리딩(leading)하라

< 책, 리딩으로 리드하라 >

독서를 통해 삶을 리드하는 방법을 깨우칠 수 있는 책이다.

인문학을 읽고 본인의 삶에 적용하는 방법에 대해 나온 책으로, 문학동네 출판사에서 나온 뒤 약 60만권이 팔린 초 베스트셀러이다.

2016년에는 차이정원 출판사에서 개정보증판이 판매되고 있다.

책을 읽고 내가 생각한 것은 나의 삶을 이끌어가는 선택은 나에게 있으며, 이러한 선택을 위해 앞서 E. H Carr의 『역사란 무엇인가』에서와 같이, 과거를 통해 현재를 이해하고 앞으로 미래를 이끌어 가야 한다고 생각했다.

본인의 삶은 본인 것이다. Reading으로 본인을 Leading하기 위해 과거를 돌아보고 미래를 설계하길 바란다. 그 변화는 살아 움직이는 것이어서 항상 바뀌기 마련이다. 그럼에도 항상 자신을 돌아보고 자신이 주인으로 살아가야 한다.

자신의 삶을 살아가는 삶이어야지, 남이 결정한 기준에 따라 살아지는 삶이어서는 안 된다. 그런 자기 삶에 대한 치열한 고민이 있어야 만이 자신의 일자리를 비로소 선택할 수 있게 된다.

삶에 대한 치열한 고민 없이 살아가다보면 어느 순간 그 일을 왜 해야하는지 스스로에게 의문이 들고 방황하게 되기 마련이다. 그 시기가 빠르던 느리던 언젠가는, 혹은 자주 그런 방황이 있다.

자기다운 삶을 살기위해 어떻게 고민해야 하는지에 대해 좋은 강의가 있어 추천을 하고자 한다.

YouTube에는 수준 높은 강의가 많이 공개되고 있는데, 그 중에서 재단법인 플라톤 아카데미[19]에서 제공하는 동영상은 시간이 될 때마다 시청하길 바란다.

플라톤아케데미의 훌륭한 컨텐츠 중, 자기다운 삶을 살아가기 위한 고민을 할 때 도움이 되는 강의는 「자신의 주인으로 산다는 것(최진석 교수[20])」 를 추천한다.

< 자기 자신의 주인으로 산다는 것 (출처: https://youtu.be/xqkdjSR5elw) >

강의를 통해 많은 것을 느끼고 배울 수 있을 것으로 생각하지만, 그 중 가장 인상깊고 기억에 남는 말씀은 다음과 같다.

---

19) 플라톤아카데미(http://www.platonacademy.org) : 재단법인 플라톤 아카데미는 인간의 보편정신과 인격의 탁월함을 추구하는 '성찰의 인문학'을 심화 · 확산하고자 설립된 인문학 지원 재단이며, 인문학 연구자와 후원자의 학문 공동체를 꿈꾸며 인문학 심화와 확산을 위해 노력하고 있음

20) 최진석 교수(서강대학교 철학과) 주요 저서로는「인간이 그리는 무늬」,「노자의 목소리로 듣는 도덕경」,「(역서)장자철학」 外

"기준의 생산자·창조자가 되지 못하고
외부의 기준을 자기 기준으로 삼아서 사는 데 습관을 갖고 있다"
(최진석 교수)

사회의 기준을 엉뚱한 질문에서 시작 됐을 가능성이 크고, 재생산이 됐을텐데 기준을 외부에 두고 있는 사람은 기준의 생산자로 등장하는데 두려움이 있다고 한다.

왜 나는 기준의 생산자가 되지 못하는가?

"자신의 주신으로 산다는 것은
기준의 수행자가 아니라 생산자가 되는 것이다"
(최진석 교수)

나의 삶의 기준도 외부에서 정하는 것에 따라서만 살아야 할 것인가? 그 시작은 나의 삶에 대한 스스로에게 던지는 질문에서부터 고민해 보면 좋겠다고 본다.

앞서 삶의 이유에 대해 고민을 할 때, 이후 일자리를 구하고 지금도 새로운 일을 고민할 때 그 출발을 생각 해 보면 스스로에게 던지는 질문, 문제의식에서 시작했었다. 고민을 하면서 그 해결방법을 스스로 찾는 과정을 통해서 일에 대한 확신과 믿음이 생겼으며, 그것을 이뤄 나가는 과정을 통해 삶의 다른 것들이 만들어지는 과정을 거치게 되었다.

Reading하고 생각하자. 그리고 자신의 삶을 Leading하며 살아가보자. 누군가가 가지 않은 자신만의 삶이기 때문에 계속 질문하고 고민하며 찾아가보는 삶을 살아보자. 그렇게 살아가다 보면 때에 맞는 일자리를 스스로가 찾게 될 것이라 생각한다.

3. 스승을 만나라

'스승'은 어떤 의미이고, '선생'은 어떤 의미일까?

스승은 자기를 가르쳐 이끌어 주는 사람을 의미한다. 선생은 학생을 가르치는 사람을 두루 이르는 말이라고 생각한다. 그 정의는 개인마다 다를 수 있지만, 나는 위와 같이 정하고 있기 때문에 누구나 나에게 '선생'은 될 수 있지만 '스승'이 되긴 힘들다고 생각한다.

내가 정한 '스승'은 한 가지 조건이 달성해야 한다.

죽을 때 까지 아무리 노력해도, 그 분야에서 그 사람을 따라가지 못하는 사람을 스승으로 삼는다.

지금까지 나에겐 총 네분의 스승이 계시다. 그들의 장점을 항상 생각하면서 나 스스로를 경계하고 있다. 책을 읽고 다큐멘터리나 영화를 보고, 강의를 들으며 배우는 것도 있지만 나는 스승을 보면서 항상 그 분야의 가야 할 길에 대해서 생각한다.

어떤 분에게는 가정의 평화와 균형을 맞추는 방법을 배우고, 어떤 분에게는 자유와 책임의 의미와 평화로운 삶에 대해 끊임없이 스스로에 질문하게 만들고, 사회사업을 어떻게 해야 하는지 항상 경계하며 배우고, 어떤 분에게는 사실과 가치판단을 나누어 생각하고 연구자로서의 사명감을 갖는 것에 대해 배우게 된다.

여러분에겐 어떤 스승이 있는가? 그런 스승은 찾아오는 것이 아니라 내가 찾아서 만들어 내는 것이라고 생각한다.

4. 끝없이 개선(改善, Kaizen)하라

여러분은 현재가 만족스러운가? 그렇다면 이미 끝이 난 것이라 생각한다. 지금 상황이 어떻다 해도 아직 무엇인가 더 나은 상태가 존재한다고 무조건 간주하는 마음가짐이 필요하다.

항상 최선을 다하자고 다짐을 하곤 한다. 최선을 다 하지만, 환경은 그렇게 두지 않는다. 최선을 다해서 개선했더라도 개선된 순간 개선될 사항이 새롭게 발견 될 것이다. 지치지 않고 개선하는 삶을 계속 살아가는 것이 무엇보다 중요하다고 생각하게 된다.

이렇게 끊임없이 개선하며 발전하고자 하는 노력을 일본의 도요타는 TPS라 정의하여 운영하고 있다. 시작과 끝이 없는 개선과 창조의 과정을 고민해 보자.

< 도요타 생산방식(TPS, Toyota Production System) >

20세기 초 헨리 포드에 의해 완성된 대량생산방식이 개성과 변화를 특징으로 하는 최근의 시장 여건에서 더 이상 먹혀들지 않으면서 개발된 도요타 자동차의 독창적인 시스템.

이 생산방식은 질(質), 양(量), 타이밍의 조화 속에 철저한 원가절감을 실현함으로써 오일쇼크와 엔고파고 속에서 위력을 발휘했으며, 도요타자동차는 이것을 개발·도입한 덕분에 1인당 부가가치 1800만엔, 총재고일수 3일, 생산리드타임(자재투입에서 완성 후 출고소요시간) 10시간이라는 기록을 달성해 세계산업계에 새로운 이정표를 제시했다. TPS는 크게 JIT와 자동화로 구성된다.

JIT(just in time)는 필요한 것을, 필요한 때, 필요한 만큼 생산·판매하는 무재고 생산방식으로, 구체적으로는 ① 흐름생산에 의한 소인화(少人化) 기술과 ② 간판방식에 의한 재고삭감기술로 나뉜다. 소인화기술은 인력의 낭비 억제와 신축성의 제고를 목표로 인력과 기계를 최적 배분하여, 한 사람이 두 개 혹은 세 개의 기계를 담당하도록 하고 있다.
또한 부품을 가져갈 때 점표를 주고 받는 간판방식은 TPS 독창성의 핵심을 이루고 있다. 자동화는 ① 표준작업에 의한 개선 및 현장관리기술과 ② 공정 이상 시 자동정지장치가 붙은 자동화기술로 압축되며, 생산자동기계나 생산라인의 이상 유무를 자동적으로 점검할 수 있고, 이상이 발생하면 자동적으로 정지할 수 있는 기능을 부여한다. 스위치만 누르면 높은 속도로 가동되는 자동화 기계와는 다른 개념인 것이다.

요컨대 TPS는 종래 전공정에서 후공정으로 밀어내는 방식(push system)에서 후공정에 필요한 만큼 전공정에 요구하는 후공정 인수방식(pull system)으로 생산방식을 완전히 혁신한 것에 그 특징이 있다. TPS는 '사람과 기계의 공존'의 추구 등 21세기 생산문화를 주도하는 형태로 발전하고 있다. 리엔지니어링의 창시자 마이클 해머는 리엔지니어링 이후의 혁신운동을 JIT-2라고 말할 정도로 TPS는 21세기를 주도할 생산방식으로 자리잡았다(참조: 다음 백과사전).

모든 상황에서 의사결정을 할 때 완벽한 해결안을 마련할 수 있는 것은 아니다. 그럼에도 불구하고 최고의 계획과 의사결정이 필요하지만, 그것은 또 개선할 사항이 발생되기 때문에 끊임없이 변화하기 마련이다.

기업의 생산 방식을 본인의 삶을 살아가는데 힌트를 얻어보면 어떨까? 입지(立志)를 하였다면, 그것을 달성하기 위해 끊임없이 개선하기 위해 노력하는 것은 어떨까?

여기서 주의 할 것은, 그 달성해야 할 목표가 돈이나 권위 등이 아니다. 본인의 삶이기 때문에 본인다운 삶이 무엇인지 고민하는 것이 필요하다. 개선(改善, Kaizen)은 그것을 달성하기 위한 방법으로 쓰일 뿐이다.

여러 목표가 있겠지만,
인생의 목표를 '행복'에 두고 고민해보길 권한다.

제5장 사회복지 일자리의 미래 (일본사례 중심으로)

인구 고령화가 지속되고, 4차 산업혁명으로 인간의 일자리가 줄어든다면 우리는 어떻게 대응해야 할 것인가?

4차 산업혁명은 경험하지 못했지만, 인구 고령화로 나타난 사회복지분야의 일자리에 대한 미래는 일본을 통해 예상해 볼 수 있다.

일본의 경우, 같은 인종, 같은 문화권, 유사한 사회시스템으로 한국과 비교적 비슷한 사회문제가 나타나기 때문에 그 해결방법에 대해서도 여러 분야에서도 많이 참고 해 오고 있다.

이번 장에서는 일본의 사회복지분야 일자리와 관련한 정책적 개선사례를 살펴보고, 현장에서의 변화와 그 성과의 환류에 대해서 소개해 보고자 한다. 특정한 분야의 예를 전체 분야로 확대 할 수는 없지만, 참고하여 우리에게 적용될 수 있는 부분이 있지 않을까 생각해 본다. 적용까지는 내가 고민할 수 없는 부분이니 만큼, 일본의 사례를 소개하는 수준에서 정리하고자 한다.

1. 일본의 복지서비스 일반현황

일본은 메이지 정부(明治政府) 이후 근대국가 형성을 통해 사회복지제도의 정부개입을 시도하였다. 이 후 제1~2차 세계대전을 전후하여 근대화된 법률은 구호법(1929년)을 시작으로 기본 법안이 구성되며 복지서비스를 국가의 법률에 기반한 영역으로 정하여 제공하기 시작하였다.

제2차 세계대전이 종료 후 1948년에는 민생위원법이 만들어 지고, 이후 1947년 아동복지법을 시작으로 1949년 신체장애인복지법, 1950년 생활보호법이 완성되어 '복지3법'이라는 이름으로 복지서비스 제공을 위한 법률 체계가 완성되었다. 이는 전후 발생한 사회문제에 대응하기 위한 일환이었다. 전쟁으로 인해 발생한 고아문제와 전쟁지원 업무 등으로 발생한 신체장애인 그리고 기초생활이 불가능한 국민들에 대한 대응을 하기 위한 기초적인 법률을 재정하게 되었던 것이다.

1950년대 후반부터 1960년대 초반은 전쟁특수(한국전쟁)로 인한 경제환경이 개선되어 고도성장기를 거치게 된다. GDP의 증가에 따라 유럽의 복지국가 모델을 참고하여 요람에서 무덤까지 제공될 수 있는 복지서비스 체계를 구축하고자 노력하였다. 이 때 만들어진 법이 1960년 지적장애인복지법을 시작으로 1965년 노인복지법, 1964년 모자보건법 및 전국민 건강보험 및 국민연금제도를 도입하게 되었다.

1970년에는 정부에서 복지서비스를 무료로 제공하는 것을 천명하는 '복지원년(1973년)'을 선포하기까지 이르렀다. 대표적으로 노인의료비가 무료로 제공되었다. 노인의료비 무료화는 병원의 살롱화(병원의 경로당화로

비유 할 수 있음)를 촉진해서 정부의 의료비 부담을 가중시켰다. 그러나 1973년 복지원년을 선포한 직후 발생한 제1차 오일쇼크로 인해 장기불황의 시작으로 노인의료비 무료화 정책은 수정되었고, 연근보험과 의료보험의 급여개선이 실시되는 등 복지재정의 억제정책이 시작하게되었다.

1980년대에는 제2차 오일쇼크로 인해 정부의 재정상황이 더욱 악화되어 복지서비스에 대한 제도수정이 불가피하게 되었다. 이 때 노인의료비용의 절감을 위해 노인요양병원과 노인요양원의 중간시설인 노인보건시설을 신설하게 되는 노인보건법(1982년)이 신설되어 본격적인 노인의료비 억제정책과 재정절감정책을 본격적으로 도입하게 된다.

1990년대에는 고령화율의 증가에 따른 사회문제를 대응하기 위하여 노인요양시설과 요양병원 등의 확보를 위해 '골드플랜'을 수립하여 기존의 아동중심에서 장애인중심으로 복지서비스가 제공되던 체계에서 노인을 중심으로 하는 복지서비스의 제공이 늘어나게 되었다. 이렇게 복지서비스가 확대됨에 따라 발생하는 서비스는 사회복지법인을 통해 전달되었으며, 이러한 전달체계는 2000년까지 지속되게 된다. 정부는 민간비영리기관으로 분류되는 사회복지법인에 위탁함으로서 전달체계의 민간운영을 통해 지역 맞춤형 서비스를 제공하기 위해 노력하였는데, 정부는 재정의 지원과 관리감독 권한을 주로 갖는 형태로 50여년간 운영되어 왔다.

2000년에는 이러한 정부의 사회복지법인 민간위탁을 통해 제공되던 복지서비스의 변화가 시작되었다. 「사회복지사업법」의 「사회복지법」으로의 개정을 통해 기존의 저소득층 대상의 정부주도의 서비스제공을 중산층까지 포괄하며 민간과의 계약관계로 서비스가 제공되는 방식으로의 전환이 이뤄졌다.

다만 기존에 제공하는 복지서비스 중 생활의 대부분에 관여 될 수 밖에 없는 시설서비스는 사회복지법인에 위탁하여 운영하는 형태를 계속 유지해 왔다. 영리부분 진입되는 부분은 재가서비스에 해당하는 영역으로, 규제완화에 따라 재가서비스의 공급주체 절반이상은 영리부분이 차지하게 된다.

이를 통해 이용자가 직접 제공자에게 서비스를 신청하고 정부에서 지급을 결정(조세, 사회보험)하는 방식으로 개선되었다. 이러한 개별적 계약에 따른 서비스제공을 보완하기 위해 지방자치단체가 직영하는 사회복지법인을 만들어 지역의 특성에 따라 발생하는 복지서비스의 편차를 최소화 하여 복지사각지대가 발생하지 않도록 보완하는 작업을 하였다.

구분	주요법령
1940년대 후반 ~ 1950년대 초반	복지3법 제체정비 * 생활보호법, 아동복지법, 신체장애자복지법
1950년대 후반 ~ 1690년대 초반	복지6법 고도성장기 * 지적장애자복지법, 노인복지법, 모자복지법(+3), 전국민보험, 전국민 연금
1970년대	복지원년(1973년), 저성장기 도입(제1차 오일쇼크)노인의료비 무료화, 연금보험과 의료보험 급여개선 등
1980년대	노인보건법, 국민연금, 기초연금 제도 및 재정 조정, 노인보건시설(제2차 오일쇼크)
1990년대	구조개혁기, 골드플랜 등을 통한 고령자 문제
2000년대	개호보험의 시작과 개정지속, 국고 -> 사회보험방식 변경, 예방서비스 강화
2010년대	후기고령자건강보험의 시행, 지역포괄케어

〈 일본의 복지관련 주요 법령 및 정책 변화 〉

일본의 사회서비스는 우리나라의 국가직무표준(NCS)와 유사한 표준산업분류(JSIC)로 분류되고 있다. 사회서비스를 독립적으로 분류하지 않는 대신 사회서비스업 관련분야는 대분류의 의료·복지서비스업으로 분류하고 있다.

중분류 85 사회보험·사회복지·개호사업		
850	관리, 보조적인 경제활동을 하는 사업장	
	8500	주로 관리 업무를 수행 본사 등
	8509	기타 관리, 보조적인 경제 활동을 하는 사업장
851	사회보험사업단체	
	8511	사회보험사업단체
853	아동복지사업	
	8531	탁아소(보육시설)
	8539	기타 아동복지사업
854	노인복지·개호사업	
	8541	요양원
	8542	개호노인보건시설
	8544	방문개호사업
	8545	치매노인그룹홈
	8546	유료양로원
	8549	기타 노인복지·개호사업
859	기타 사회보험·사회복지·개호사업	
	8591	갱생보호사업
	8599	별도로 분류되지 않은 사회보험·사회복지·개호사업

〈 일본표준사업분류(2014년4월1일 시행) 일본 총무성 〉

2. 일본의 복지서비스 공급주체의 변화

2000년 사회복지기초구조개혁으로 공급주체 성격 다변화

일본의 복지서비스는 2000년 「사회복지사업법」이 「사회복지법」으로 개정되며 큰 변화를 거치게 되었다. 1970년대 이후 버블붕괴로 저성장에 따른 재정 부담으로 정부의 개입을 줄이고 민간의 자원을 연계하는 방식 혹은 조세를 통한 서비스제공에서 사회보험방식으로 서비스의 변화를 적극적으로 조치하는 모습을 보여 왔던 제공방식의 전환 흐름의 일환으로 이어지는 과정에서 변화되었다.

「사회복지법」으로 개정에서 가장 핵심은 복지서비스를 정부중심(중앙정부, 지방정부) 제공방식에서 계약방식(일부 재정의 사회보험 적용)으로 전환되는 것이다. 이는 계약제도로 변화를 통해 서비스의 제공주체가 다양화되는 것을 의미하는 것으로, 영리법인의 도입에 따라 서비스가 다양화하고 이용자의 선택의 폭을 넓혀주는 긍정적인 효과도 있는 것으로 볼 수 도 있다.

다만, 수익이 나지 않는 서비스는 제공되지 않을 수 있어서 복지사각지대가 발생되는 등의 문제를 지적받고 있으며, 대상자 입장에서는 조치제도에서 무료로 받는 서비스가 계약제도로 변경되면서 일부 자부담이 발생하는 등의 비용의 부담에 대한 우려로 인한 거부감도 높아지는 것이 사실이었다.

일본의 사회복지사업은 이용자에 미치는 영향을 기준으로 제1종 사회복지사업과 제2종 사회복지사업으로 분류하였다.

제1종 사회복지사업에 해당하는 영역은 서비스를 필요로 하는 사람이

입소하여 제공받는 서비스(시설서비스)이며, 생활의 전반을 지원하는 사업으로 구분되기 때문에 사회복지법인에 한정되어 제공되고 있다. 시설서비스를 사회복지법인으로 한정하여 제공하는 이유는 사회적 약자의 삶에 절대적인 영향을 미칠 수 있는 생활의 지원에 대해 공적인 역할이 필요하다는 것을 인정하는 것이다.

영리법인이 운영하게 되면 수익에 따라 서비스의 제공수준이 결정되기 때문에 사회적 약자의 삶에 경쟁적인 요소를 넣게 되어 최소한의 인간다운 삶에 대한 요구를 저하할 수 있다는 정책적인 판단이 있었기 때문이다. 따라서 제1종 사회복지사업에 해당되는 사업은 '구호시설, 고아원, 경비노인홈, 갱생시설, 장애아동입소시설, 장애인지원시설, 유아원, 양호노인홈, 여성보호시설, 모자생활지원시설, 요양원 등 17개 사업이 지정되고 있다.

반면 제2종 사회복지사업은 이용자의 생활에 비교적 영향이 적고, 자율성과 창의력을 사업의 확대가 필요한 분야로서 공적인 규제 필요성이 낮은 서비스(재택, 통소서비스)로 구분되어 있다.

지역에 따라 발생하는 복지요구에 능동적으로 대응하기 위해서는 영리법인의 자율성과 창의성이 필요하다는 것을 인정하는 것으로, '조산시설, 노인데이서비스센터, 장애인복지센터, 탁아소, 노인단기입소시설, 무료 혹은 전액진료사업, 아동가정지원센터, 노인복지센터, 인보(隣保)사업, 모자복지시설, 노인개호지원센터, 복지서비스이용 지원사업 등 52사업'이 분류되어 있다.

이러한 전달체계의 개편에서 시작은 2000년대 들어 시행된 개호보험으로부터 시작 된 것으로 다양한 사업주체가 사회복지분야에 참여하였고 사회복지법인의 역할은 공적인 서비스 제공에 초점을 맞추며 타 영리기관과의 적절한 경쟁을 하며 운영되고 있다.

정부는 영리법인의 회계 및 안전과 관련한 규정에 대해 지도, 감독하고 있으며 2008년에는 약 2,400여개의 재택서비스를 제공하였던 영리법인의 회계부정을 문제를 지적하며 승인해제를 실시하는 등, 부정사항에 대한 감시를 위해 관리를 강화하고 있다. 다만, 재가서비스로 분류되는 그룹홈의 설립을 통해 실질적으로는 그룹홈의 시설화를 통해 재가서비스의 시설서비스화를 실시하고 있다는 비판이 있는 등의 문제점도 함께 갖고 있다.

서비스 종류별 공급주체 성격변화 양상 차별화

입소시설서비스는 전통적 공급주체인 사회복지법인과 의료법인 중심으로 운영되며, 만성기 의료에 있어서는 사회복지서비스와 복합화가 활발하게 이뤄지고 있다. 개호보험의 시작으로 노인복지서비스 제공에 있어서 의료와 복지서비스의 복합화가 이뤄지고 있는데, 이러한 서비스 제공 형태를 「보건의료복지복합체」라고 정의되고 있다.

「보건의료복지복합체[21]」는 의료기관(병원, 진료소)의 개설자가 동일법인 혹은 연계 관련법인과 함께 각종 보건(개호노인보건시설) · 복지(개호시설)을 개설하여 보건 · 의료 · 복지 · 서비스를 일체적(자기완결적)으로 제공하는 그룹을 의미. 그 중 핵심은 병원, 노인보건시설, 특별양호노인홈을 동시에 개설하는 3점세트의 복합체를 구성하고 있다.

일본 사회서비스 중 대표적인 서비스인 개호서비스의 시설이 2000년에

21) Niki Ryu 저, 정형선 역, 2005,『일본의 개호보험과 보건의료복지복합체』참조

28,014개소에서 2010년 79,695개소로 10년간 2.84배 증가하게 되었는데, 지역의 수요를 중심으로 하여 소규모 시설이 확대되었기 때문이다. 이는 사회복지법인의 증가속도에 비해 압도적으로 빠르게 나타나는 현상으로 영리화가 가속화 될수록 하나의 서비스에 집중하기 보다는 유사한 서비스로의 확장을 도모하기 때문에 영리법인의 그룹화도 가속화 되고 있다.

시설서비스는 사회복지법인에 한정하고 있기 때문에 예외 하여 개호서비스의 제공 주체의 변화를 보면, 개호서비스시설, 사업소조사에 의하면, 개호보험사업소를 점하고 있는 영리법인의 비율은 개호보험이 시행된 2000년대 이후 10년간 급격하게 증가하였다. 반면 사회복지법인과 지방자치단체의 비율이 줄어든 이유는 사업폐지가 아닌 영리법인의 모수가 늘어남에 따라 비율적으로 감소한 것으로, 일본정부의 경우 최소한의 기준선을 지방자치단체와 사회복지법인에서 대응하고 그 이상에 대한 것은 영리법인을 통해 제공되고 있다고 해석할 수 있다.

(단위: 개소, %)

년도		2000	2002	2004	2006	2008	2010
시설총수		28,014	36,605	50,908	63,667	66,877	79,695
운영주체 비율(%)	지방자치단체	10.5	3.3	2.3	1.5	1.3	1.0
	사회복지법인	53.2	54.6	48.6	43.9	42.0	39.2
	의료법인	4.1	4.6	4.8	4.6	4.4	4.1
	협동조합	2.0	2.3	2.2	2.0	1.9	1.8
	영리법인	28.2	31.8	38.6	44.2	46.7	50.4
	NPO	0.9	1.6	2.3	2.6	2.7	2.6
	기 타	1.1	1.8	1.3	1.2	1.0	0.9

출처 : 이헌영(2012) 재인용

2010년 이후도 증가하는 추세는 줄어들지 않고 있다. 통소개호는 영리법인이 점하는 비율이 2000년 4.5%에서 2013년에는 56.3%에 달하고 있으며, 치매대응형공동생활개호는 2000년에는 21.2%에서 2017에는 대폭 확대됨. 이와 같은 개호보험제도의 도입으로 인해 영리법인의 참여가 높게 나타나고 있다.

서비스를 제공하는 제공자가 늘어나면 새로운 수요자의 발굴이 따라서 늘어나기 때문으로 볼 수 있다. 치매관련한 시설이 2006년이후 유지되는 것 이외에 다른 서비스들은 증가하고 있는 것은 개호보험이 시작되기 전 조치제도에서 복지서비스를 받는 것이 저소득층의 사회적인 어려움이 큰 사람이 받는 경우가 많아서 서비스 수급에 대한 인식이 낮았던 것이 해소되어 보편적 서비스로 받아들이고 있다는 것으로도 해석될 수 있다.

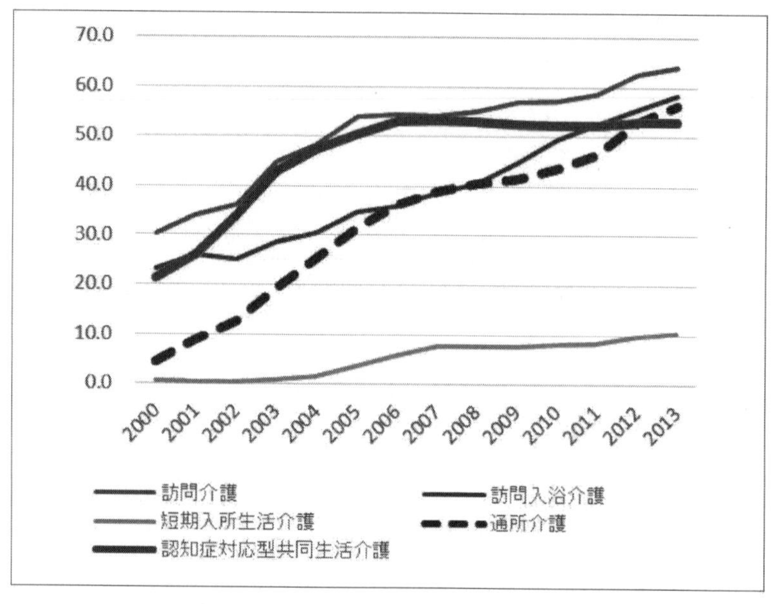

< 거택개호서비스 시설총수와 운영주체의 연도별 변화추이[22] >

22) 大薮元康 (2016)「社会福祉サービス提供主体の在り方について」>

앞서 재가서비스는 영리법인이 주로 서비스를 제공하고 있었지만 시설 서비스의 구성비율은 그것과 다름을 알 수 있다. 요양병상의 용도전환을 장려하여 전환이 된 개호노인보건시설의 75.1%는 의료법인이 운영하고 있고, 개호복지노인시설의 94.5%가 사회복지법인으로 운영되어지고 있다. 이를 통해 일본은 복지서비스의 성격에 따라 전달체계의 명확한 구분을 정하고 있다는 것을 확인 할 수 있다.

구분	개호 노인복지시설	개호 노인보건시설	개호 의료형의료시설
도도부현	0.6	-	-
시정촌	3.3	3.7	4.6
광역연합, 일부 사무조합	1.4	0.5	0.2
적십자, 사회보험 관계단체, 독립행정법인	0.1	1.7	0.9
사회복지협의회	0.2	-	-
사회복지법인 (사회복지협의회 이외)	94.5	15.3	1.0
의료법인	-	75.1	83.3
사단, 재단 법인	-	2.7	2.4
그 외의 법인	-	0.9	0.5
기타	-	0.2	7.0

〈 출처: 2016년 개호서비스 시설, 사업소 조사(2017, 厚生労働省) 〉

3. 「일억총활약」 사회

일본정부는 여성도, 남성도, 노인도, 아이도, 장애나 난치병이 있는 분도, 한 번 실패를 경험한 사람도 전부 그 능력을 발휘할 수 있는 일억(一億) 총 활약사회를 만든다. 이를 통해 디플레이션[23]을 탈출하고 일본경제의 새로운 성장궤도를 확보한다.

이를 통해 「인구가 감소하는 일본은 더 이상 성장 할 수 없다」는 비관론에서 벗어나, 일하고자 하는 사람들, 여러 이유에서 일을 하지 못하는 사람들을 각 분야에 맞게 일을 못하는 문제를 해결해 나가면서 기회를 주는 활동을 추진해 오고 있다.

그 핵심 가치는 100세 시대에도 누구든지 다시 배우고 새로운 도전을 할 수 있는 기회를 제공하는 것이 핵심이다.

우리나라에서도 은퇴 이후에 노인일자리사업을 알아봐도 일을 할 사람은 많은데 일을 할 기회를 접하기 힘들뿐만 아니라, 새로운 일을 접하게 될 때 경력을 개선하여 새로운 일자리에 적용 될 수 있도록 돕는 활동에 많은 관심들을 갖고 있다.

사회복지 일자리에는 여성의 비율이 높은 편이다. 따라서 여성의 사회활동과 육아 그리고 노인의 문제를 서로 연계하여 해결하는 방법을 고민하게 된 것이다. 여성들의 사회참여를 확대하기 위해 제기된 육아 등의 문제를 기존의 복지제도의 적극적인 활용과 경로관리를 통해 해결하였고, 그 배경에는 Career Path를 통해 해결하고자 하였다.

이를 위해 2014년부터 후생노동성에 「사회보장심의회(복지부회 복

---

23) 디플레이션(Deflation) : 통화량이 상품 거래량보다 상대적으로 적어서 물가가 떨어지고 경제 활동이 침체되는 현상이다. 전에는 디플레이션이 인플레이션에 대응되는 말로 사용되었으나, 오늘날에는 생산량의 감소, 실업의 증가 등 경제 활동의 침체를 의미한다(출처: 다음백과사전)

지인재확보전문위원회)」를 두어 개호인재확보에 대한 정책을 착실히 구축해 왔다.

특히 2017년 3월 28일에 실시된 제10회 회의에서는 개호인재의 기능과 커리어패스의 실현에 대해서 논하며, 개호인재에 요구되는 진로(직업경로)의 실현방향과 사회복지사에 대한 역할정립 부분을 논의하며, 사회복지관련 일자리확보 전략을 확보에서 관리까지 강화하는 방향으로 추진 중에 있다.

일본은 왜 모든 인구가 총활약을 하는 사회를 만들려고 하는가?

일 할 사람이 없어서이다. 1970년대 일본이 경제대호황일 때 부족한 노동력을 채우기 위해 브라질에서 많은 인력을 유치하여 공장을 운영한 전례가 있다. 아울러 2000년대 후반 개호복지사와 간호사가 부족하여 동남아시아에서 인력을 유치하여 해결하려고도 했다.

브라질인들을 유치한 산업은 생산직이 대부분이었기에 어느 정도 성공적이었지만, 동남아시아에서 개호와 간호 인력을 유치한 것은 그리 성공적이지 못 했다고 평가받고 있다.

그리고 최근에는 1970년대에 일본으로 들어온 외국인들이 나이가 들어 장기요양이 필요로 하는 상태가 되었고, 그들을 대응하기 위해 외국어가 가능한 개호와 간호 인력이 필요한 상태까지 벌어지는 등 인력에 대한 고민을 끊임없이 해 오고 있는 일본이다.

전후 베이비붐시대가 은퇴를 하고 있는 지금.

일본은 이제 일자리가 있는데 일 할수 있는 일본인이 필요한 시대가 왔다. 외국인으로 채울 수 있는 부분이 한계가 있다는 것을 경험적으로 배운 그들은 일자리에서 멀어졌던 주부, 고령자들까지도 일자리를 갖도록 노력하고 있다. 그것은 국가적 생산성향상만을 위해서가 아니라 일을 통해서 연금과 건강보험 등의 국가 재정의 환류에도 도움이 되기 때문이다.

여러 복합적인 상황이더라도 어쨌든 일본에 생산 활동이 가능한 인력이 매우 부족하다.

보통 일을 하는 이유는 돈을 벌기 위함이 크다. 그래서 급여를 많이 주는 곳에는 사람들이 모이기 마련이다. 반대로 급여가 적은 곳은 사람이 안 오기 마련이다. 아울러 급여를 적게 주고 육체적으로 힘든 일이라면 더더욱 사람들이 안 오기 마련이다.

그래서 노인장기요양분야에 일을 하려는 사람들이 매우 부족한다. 이 문제를 해결하기 위해서 우리나라의 보건복지부에 해당하는 후생노동성에서는 「개호직원 자질 향상 촉진사업」제도를 운영중에 있다. 이는 경력관리(Career Path)제도로서 개호직원이 취업과 동시에 총 7개 레벨로 분류된 역량수준에 따라 교육훈련과 자격증을 취득하는 과정을 통칭한다.

이 제도의 가장 핵심은 더 높은 수준(업무성취도, 급여 등)으로 본인의 실력을 높이고자 하기 위해서는 일정한 경력을 갖고 있어야 보다 높은 수준의 자격증을 취득할 수 있고, 이 과정을 통해 본인의 향후 경력을 가늠하며 업무에 임하게 된다. 이런 상황이 되면 아무리 급여가 적어도 개인별로 미래가 보이기 때문에 본인의 현재 업무에 만족과 개선하며 업무에 임하게 된다.

이에 따라 낮아지는 이직률은 시설의 경영환경에도 긍정적 영향을 미치게 되고, 인력을 채용을 하던 직원들이 인력을 양성하는 업무로 변화하게 된다. 인력을 양성한다는 것은 전문성이 보다 높아진다는 것으로, 노동집약적인 분야인 개호분야에서 업무효율과

서비스의 질이 동시에 상승할 수 있다는 것을 의미한다.
결과적으로 직원들의 이직률이 낮아지고 고도의 경력자들이 업무를 하게 되면서, 서비스의 품질을 유지하면서 적은 인원에게 더 많은 급여를 줄 수 있게 된다. 이 과정을 통해 경영환경이 개선된 사례가 나오게 된다.

사회복지분야의 일자리는 다양한 요구에 따라 변화하고 정책의 변화에 따라 쉽게 흔들릴 수 있다. 그러나 4차 산업혁명으로 AI의 발달로 없어지는 일자리가 있는 만큼, 새로 생기는 일자리는 더욱 많아질 것이다. 그 일자리의 대부분은 사람이 사람에게 서비스하는 일자리일 것이고, 사회복지분야에서 그 일자리를 찾을 수 있을 것으로 생각된다.

앞서 본인의 업(業)에 무한한 애정을 갖고 현장의 이야기를 담아주신 분들의 글에서도 보았듯이, 사회복지업무는 시간이 지날수록 더욱 세분화 되고 있다.
이에 정책은 따를 것이다. 일본정부에서 개호분야의 생산성을 향상시키며 서비스 품질을 유지하기 위해, 인력을 원활하게 유지하여 개호에 관련한 문제를 해결하기 위해 노력하는 것처럼 사회복지분야의 전문가의 확보와 양성을 위한 노력은 계속 될 것이다.

지금 사회복지를 공부하는 분들은 시간이 지나면 지날수록 더 많은 것을 배우고, 나누며 성장해야 하는 환경에 처해 질 것이다. 그 안에서 본인에게 맞는, 본인이 가장 즐거운 일자리를 찾기 위해 노력해야 할 것이다.

맺음말

성공한 직장생활을 한다고 생각하지는 않는다.

그래도 나름의 철학과 방향을 갖고 일을 했다. 다소 잘못한 부분도 있지만 그 마음, 그 뜻에는 변함이 없었다. 힘이 빠지기도 했지만 보람 있는 일도 많았다.

일을 마치면서 하는 얘기가 아니다. 매 순간 순간을 그렇게 살았다. 어떻게 살아가는 것이 행복하고 의미 있는 삶일까?

물론 나도 그 답은 모르겠다.

인생은 Birth와 Death사이의 Choice라고 하지 않던가. 나는 지금도 나의 죽음 전에 끊임없이 선택하며 살아가고 있다. 그 선택은 매 순간 최선을 찾고 있으며, 지금의 일과 앞으로의 일이 그 선택에 있어서 조금 더 자유로울 수 있다고 생각한다.

마음 먹은대로 살고 있지는 않지만 그래도 내가 자유롭게 선택할 수 있고, 그 선택에 책임을 질 수 있는 상황을 만들기 위해 항상 노력하고 있다.

직장 안에서 그렇게 살아가고 있으니 현재까지는 성공적인 삶이라고 생각하고 있다. 이 책을 읽은 모든 분들이 선택에 자유로운 삶을 살아 갈 수 있다면 좋겠다.